D1196946

Les Éditions du Boréal
4447, rue Saint-Denis
Montréal (Québec) H2J 2L2
www.editionsboreal.qc.ca

# LE REPAIRE
# DES SOLITUDES

Danny Émond

# LE REPAIRE
# DES SOLITUDES

*nouvelles*

Boréal

© Les Éditions du Boréal 2015
Dépôt légal : 1ᵉʳ trimestre 2015
Bibliothèque et Archives nationales du Québec

Diffusion au Canada : Dimedia
Diffusion et distribution en Europe : Volumen

*Catalogage avant publication de Bibliothèque et Archives nationales
du Québec et Bibliothèque et Archives Canada*

Émond, Danny

    Le repaire des solitudes

    ISBN 978-2-7646-2363-3

    I. Titre.

PS8609.M662R46    2015    C843'.6    C2015-942632-1
PS9609.M662R46    2015

ISBN PAPIER 978-2-7646-2363-3
ISBN PDF 978-2-7646-3363-2
ISBN ePUB 978-2-7646-4363-1

*À mes parents*

*What shall we use to fill the empty spaces*
*where we used to talk?*

ROGER WATERS, *The Wall*

## Autofriction

Mon père avait des seins et ma mère, une moustache. Il la trouvait chiante et elle le trouvait con. Ils avaient tous les deux raison, d'une certaine manière. L'auteur de mes jours se prenait pour l'inventeur du siècle. Or, il n'a jamais su inventer quoi que ce soit qui n'existait pas déjà. Zéro brevet pour papa. Quant à ma génitrice, elle était quelque chose comme une féministe fatiguée. Une femme de tête, victime de terribles migraines. Voilà pour mes parents, dont le rôle dans cette histoire se résume à un va-et-vient accidentel lors d'une soirée d'ennui.

Neuf mois plus tard, expulsé tel un boulet rouge au milieu de la nuit, j'ai ri, devinant que ce monde ne me réservait rien de bon. J'ai ri, mais d'un rire noir, comme un disjoncté, à m'en crever la rate. Réflexe de survie et mécanisme de défense.

Rire, même lorsqu'il n'y a rien de drôle. Peut-être même *surtout* lorsqu'il n'y a rien de drôle. Attitude que j'ai conservée et qui m'a valu des déclarations d'amour et des menaces de mort. Très tôt j'ai surpris le réel en flagrant délit d'insignifiance. De ce constat, on ne se remet pas du jour au lendemain. Dans l'espoir de cesser enfin de me poser des questions inutiles à l'*Homo sapiens* moyen, j'ai décidé de me bousiller les structures mentales. Enfermé dans ma chambre, j'ai respiré pendant des journées entières les vapeurs de colle à modèles réduits. Mes roulades dans les escaliers et mes courses dans les murs ne m'ont pas transformé en débile profond. La télévision non plus. À l'adolescence, afin de réduire en compote ma matière grise, j'ai essayé les drogues, douces, puis dures, et ensuite, le travail et les femmes. Admirez l'ampleur des dégâts.

Pour ne plus éprouver l'oppressante impression de ne rien foutre de mon existence (personne n'aime s'avouer vaincu devant le néant), j'ai lu. Beaucoup. Le meilleur et le pire. De la philosophie, des revues de cul, *Le Coran pour les nuls*, de la Grande Littérature, des haïkus sataniques, le mode d'emploi de mon malaxeur… Bref, n'importe quoi. Toutes ces lectures m'ont donné un vernis de culture, des connaissances vagues et bien peu de certitudes. Comme les singes qui singent ce qu'ils voient, j'ai tenté d'écrire à mon tour. Je n'ai, hélas, aucun message à transmettre à l'humanité. J'aime beaucoup parler de moi et m'écouter parler : le moins perspicace d'entre vous l'aura constaté. Tout au plus puis-je prétendre être représentatif de l'individualisme universel : c'est déjà quelque chose ! J'écris surtout parce que ça coûte moins cher qu'un psy. Je ponds des récits où il ne se passe rien, qui se terminent mal et que je déconseillerais aux suicidaires. Je gratte mes cicatrices, frotte les croûtes, ça pince et ça tire, la douleur m'inspire : j'excelle dans l'*autofriction*. Je commence un peu trop souvent mes phrases par le mot *je*. J'essaie d'arrêter.

Outre ces menues particularités, je me considère, somme toute, comme un homme relativement normal, équilibré dans ses dérèglements. Un paquet de viande et d'os autour d'un nombril, avec tous les membres à la bonne place. J'ai des diplômes dont vous vous foutez. Un boulot qui me permet de vendre mon temps. Une blonde qui a des beaux yeux et des rages de sucre. Je caresse deux ou trois illusions. Je n'ai pas encore renoncé à la poursuite du bonheur.

## Forceps

Tu es né en 1945, Maurice. De l'autre côté de l'océan, l'Europe fumante pouvait enfin respirer, renaître de ses débris : la Deuxième Guerre mondiale venait de s'achever. Toi, tu commençais la tienne, ta propre guerre, avant même d'avoir vu la lumière du jour. Une bataille au seuil de la vie, dans le ventre de ta mère. Combat qui n'était pas gagné d'avance. Tu restais là, recroquevillé, les poings fermés, dans la chaleur, tel un déserteur dans sa cachette, un conscrit qui refuse de participer à une guerre sans but. Sortir, non. On s'efforçait de t'expulser de ce lieu où tu te sentais en sécurité. À intervalles rapprochés, les secousses se faisaient de plus en plus violentes. Mais sortir, pourquoi ? Vaguement, tu percevais, derrière la cloison, des gémissements, des cris assourdis. Tout cela ne te concernait pas, croyais-tu.

Jusqu'à ce que tu sentes la morsure des forceps, cette gueule de métal qui t'arrachait de la poche où tu étais confortablement blotti. Tu as résisté autant que tu as pu. Pourtant, petit à petit, les pinces t'ont entraîné vers l'extérieur. Il y a eu un choc brusque, puis un moment de silence. Le cordon ombilical t'étranglait. Le médecin t'a libéré. Il a aspiré le liquide qui obstruait tes narines. Après de longues secondes, tu t'es enfin mis à pleurer, à crier. Tu goûtais ce monde pour la première fois et il n'avait rien d'agréable : toute cette agitation, les bruits trop forts, le froid sur ta peau, l'haleine rance du médecin... Tu aurais voulu retourner d'où tu venais, franchir la porte en sens inverse. Ta mère t'a repoussé. Pour elle, tu n'étais qu'un paquet de cris et de soucis dont elle se serait bien passée. Ne l'avais-tu pas déjà assez fait souffrir ? Dès qu'elle t'a vu, elle t'a trouvé laid.

## Question de centimètres

Marie Sainte-Marie aurait pu crever. Le chauffard a brûlé le feu rouge, elle a presque senti le frôlement de la tôle dans son dos. Coup de klaxon, bras d'honneur. La vie est parfois une question de centimètres. Marie fume une cigarette devant l'entrée. Ses mains tremblent un peu. Puis elle entre se préparer pour l'ouverture. Dans quelques minutes, il y aura une file devant le comptoir. Son superviseur lui lance une remarque qui se veut drôle à propos des cernes sous ses yeux. Elle ne rit pas. Il est vrai qu'elle n'a guère dormi cette nuit, comme celle d'avant, d'ailleurs. Elle se verse un très grand café. Quatre sucres. Une mixture qu'elle appelle son sirop et qui lui permettra de passer à travers la journée. Une de plus.

Premier client. Toujours le même depuis qu'elle travaille dans ce Tim Hortons : le vieux qui sent le moisi. Moustache sale, tuque assortie. Tout l'avant-midi, assis près de la fenêtre, il sirote son café et soupire en griffonnant des lettres à Dieu. Des pages et des pages d'écriture serrée, blocs de texte en pattes de mouche que personne ne lira. Il reste là. Étranger à tout. Emmuré en lui-même. Les épaules rondes, écrasé par on ne sait quel poids invisible, il fixe les feuilles devant lui, comme si, au-delà de sa table, rien n'existait. À onze heures précises, il roulera ses papiers, comme pour s'en faire un porte-voix, et les déposera dans son sac. Comme d'habitude, on le verra aller et venir le long du boulevard, avec son verre vide à la main. Un désinstitutionnalisé… Ils sont légion dans le quartier. De l'autre côté de l'intersection se dresse Robert-Giffard, la maison de fous. Elle-même aurait pu s'y retrouver, les neurones bousillés, coincée dans un *bad trip* perpétuel.

Mais elle aurait aussi pu en crever, sans doute. C'était un soir pour cultiver l'ennui. Un vendredi moche comme la pluie. Jeux vidéo et PCP mal coupé… *Overdose.* Ses amis n'avaient pas voulu appeler le 9-1-1. Trop de drogue dans l'appartement, sans parler des armes à feu, du matériel volé… Ils l'avaient laissée là, sur le plancher du salon, en souhaitant qu'elle reprenne vite connaissance. Une demi-heure plus tard, elle s'était enfin relevée. Trente minutes, dans une vie, ce n'est pas grand-chose. Juste assez pour perdre des amis qu'on croyait les meilleurs.

Deux laits deux sucres pour ce punk qu'elle trouve mignon avec sa gueule de poseur de bombe. Il réussirait presque à lui arracher un sourire, un vrai. Mais non. Marie a déjà donné. On ne l'y reprendra plus.

Il y a eu un *avant* et un *après* Kevin. Elle aurait pu crever cent fois par seconde quand elle a découvert qu'il s'était éclipsé, l'homme aux semelles de vent, avec son sac à dos rapiécé et ses rêves de lointain. Sorti de nulle part, reparti on ne sait où. Sans laisser la moindre trace de son passage, hormis une large balafre dans ses souvenirs à elle, Marie Sainte-Marie, la petite idiote. Curieusement, elle n'avait pas pleuré, mais beaucoup vomi. Les poings serrés comme des nœuds, jusqu'à ce que les ongles entament la ligne de vie. L'école, abandonnée. Trente livres perdues. Et quelques illusions. Peu à peu se formait en elle le désir de se venger. Faire souffrir les hommes. Tous pour un. L'un après l'autre. Brandir sa beauté comme un couteau. Frapper où ça fait mal, en demeurant hors d'atteinte. Jouer dans la plaie. Puis partir. Sans remords. Sans joie non plus. Juste ce vide dans le ventre que rien ne semble pouvoir combler.

Coup de coude dans le flanc. Son superviseur l'a encore surprise en train de rêvasser. Elle s'est réfugiée dans sa tête le jour où elle a compris que ce monde est foutu. Elle dépose douze beignes dans une boîte pour un type remarquablement quelconque. Gros, gras, grand, gris. Patinoire à poux. Sourire visqueux. Il lui laisse deux dollars de pourboire et se croit autorisé à la découper du regard comme une pièce de viande. Le genre de fonctionnaire qui règle le sort du monde à coups de formulaires du lundi au vendredi. L'air un peu trop normal pour l'être tout à fait. Le bon bourgeois qui s'asphyxie au monoxyde de carbone dans son garage avec sa fille et sa femme ligotées sur la banquette arrière.

Un de ces salauds chez qui elle aurait pu crever. Elle s'est souvent demandé de quelle façon ils se seraient débarrassés de son corps. Comment s'était-elle retrouvée dans ce condo avec ces paumés en cravate? Au détour d'une nuit bien arrosée. Ils l'avaient invitée, elle les avait suivis, puis s'était demandé ce qu'elle faisait là. Elle se souvient de l'incohérence de la discussion, des vapeurs d'alcool, de son impression de ne pas être à sa place, encore une fois. Du pistolet sorti d'un tiroir. De la proposition douteuse et des dix billets bruns sur la table. Roulette russe. Une balle dans le barillet. La scène avait quelque chose d'irréel. Elle avait saisi l'arme, avait pris une grande respiration. Et avait appuyé sur la détente. Déclic... silence... éclats de rire. La vie est parfois une question de centimètres. Ils l'avaient laissée empocher l'argent, elle l'avait bien mérité. Ensuite, ils avaient continué à boire en discutant de sujets qui ne l'intéressaient pas : économie, politique. Sans se soucier d'elle. Marie avait dégrisé d'un seul coup, réalisant la stupidité de ce qu'elle venait de faire. Il fallait fuir, vite. Elle s'était cogné la tête sur le cadre de porte avant de débouler les escaliers. Personne n'était venu à sa rescousse. Cette nuit-là, elle avait dormi dans une ruelle inconnue, au milieu des ordures, le front en sang, les poches pleines d'argent.

Cette femme à l'âge incertain, dont les croûtes et les boutons brillent d'un éclat gras, lui demande une soupe poulet et nouilles. Elle lui fait penser à sa mère. Triste mais vrai. Même fatigue. Même usure. Même affaissement. Sa mère qui s'est tuée à l'ouvrage pour des gens qu'elle méprise. Seule pour s'occuper d'un enfant qui fonce tête première dans tous les murs, qui exaspère professeurs, psychologues et travailleurs sociaux. Une fille intelligente pour multiplier les problèmes et les plans foireux.

Mais tout a mal commencé. Marie a trouvé, hier, en fouillant dans la chambre de sa mère, une coupure de journal jaunie. Un fait divers relatant une histoire sordide. Une beuverie qui tourne mal. Une femme enceinte poignardée par son mari. Deux côtes cassées, un poumon perforé, le cœur raté de peu. L'origine de cette cicatrice mystérieuse sur la poitrine de sa mère…

La vie est vraiment une question de centimètres.

## Des rêves et des bouteilles vides

La pauvreté, c'est moche. Très. Quiconque prétend le contraire n'a jamais roulé de cennes noires pour acheter du baloney. Nous deux, on le savait ce que ça voulait dire, manger de la marde. Kraft Dinner et ramen sur une base presque quotidienne : un régime chimique qui entraîne forcément des effets secondaires sur le mental. Nos prêts et bourses, on les flambait dès qu'on les recevait et on n'assistait plus à nos cours. Du haut de nos dix-sept ans, on avait décrété qu'école rimait avec endoctrinement et que la société nous équarrissait. Pas de travail, et on n'en voulait surtout pas. À temps plein, on cultivait de la beauté, des rêves et des bouteilles vides. Un couple d'artistes, deux élus du destin, sauvages et en marge de tout... On se comprenait et le reste, on s'en souciait autant que de notre première paire de bas. Mais combien de temps pourrait-on tenir sans lécher des culs, sans torcher toutes les chiottes de l'univers ?

Cet après-midi-là, on a fumé un gros joint avant de sortir. Journée terrible ! Les prémices du printemps, avec des rigoles aux angles des trottoirs et le soleil haut dans le ciel qui te vrille ses rayons dans la peau. Tu as volé une bouteille de sirop pour la toux dans une pharmacie, la glissant dans ton sac pendant que je créais une diversion. On l'a bue et ensuite on s'est demandé pourquoi : c'était juste con, ça goûtait l'huile à moteur et on n'était même pas malades. Une absurdité de plus à oublier.

— Est-ce qu'on est fous ?

— Qu'est-ce que ça peut bien signifier, de toute façon, être fou ?

— Je sais pas. Mais on est différents... ça oui.

— Peut-être bien... Mais la plupart des gens pensent ça d'eux-mêmes, au fond. On n'est donc pas différents de tout le monde, sur ce point-là, en tout cas.

Alors, on a essayé de cerner la nature de notre différence, mais on a bien vite abandonné le projet, à cause du soleil qui tapait. Nos idées allaient dans tous les sens.

— Pourquoi on se pose tant de questions ?

— Le problème, c'est pas qu'on se pose

trop de questions, mais qu'on se pose toujours les mauvaises.

On parlait fort, effrayant les touristes japonais à kodak et les oiseaux qui s'enfuyaient vers les toitures. On parlait fort et en gesticulant, mais on ne délirait pas, attention. Ce qui tue, c'est de ne pas être capable de se rouler dans la boue du quotidien pour ensuite se laisser sécher sur une roche, arracher les croûtes et sentir le vent nouveau sur sa peau. On a conclu notre réflexion en avouant qu'on prenait peut-être un peu trop de drogue, finalement.

Puis on est rentrés.

De retour à l'appartement, en écoutant du vieux *beat*, on a fait un peu de ménage. C'est-à-dire déplacer des piles. On aurait mérité une médaille d'or pour le record d'inefficacité. Une demi-heure plus tard, au milieu d'un bordel à peu près identique, sinon pire, on a juste baissé les bras.

Et on a fait l'amour sur le divan du salon.

Lentement, dans la pénombre.

Après, tout de suite après, la tête sur mon épaule, tu t'es mise à sangloter.

— J'ai quelque chose à te dire. Fâche-toi pas...

Pas bon, ça : la voix qui tremble, le regard

fuyant et la lèvre mordillée… Tu as flotté dans le silence un instant.

— J'ai arrêté de prendre la pilule… J'aurais dû te le dire avant.

J'ai promis de t'accompagner à la clinique d'avortement. Mais le bébé, toi, tu voulais le garder. Je t'ai fait remarquer que tu n'avais même pas pu t'occuper d'une plante verte et d'un poisson rouge pendant trois mois. Tu ne voulais rien entendre. Pas de discussion possible. Mes arguments se heurtaient à ton obstination. On ne trouvait pas de terrain d'entente. Le ton a monté, monté, monté. Jusqu'aux mots de trop. Ceux qu'on prononce sans vraiment y croire dans le feu d'une engueulade qui dégénère. Les mots qui marquent le début de la fin et qu'aucune excuse, si douce soit-elle, ne peut faire oublier. Peu de temps après, on se laissait. Pas du tout en bons termes. Tu es retournée chez ta mère, dans un trou perdu au nord de nulle part. Je me suis enfui sur les routes, sans argent et sans but, avant d'aboutir dans le cul-de-sac du destin, les deux pieds dans la bouette de la *vraie vie*. Tu ne m'as jamais redonné de nouvelles. Je n'ai pas cherché à te retrouver non plus. Il est un peu tard pour regretter.

Rimbaud avait raison : on n'est pas sérieux quand on a dix-sept ans.

## La fille qui mangeait des cailloux

Elle n'a jamais pu appeler sa mère « maman », sa mère qui l'a faite muette comme les pierres qui remontent à la surface chaque année, au printemps, les pierres qu'il faut extraire comme des kystes du ventre de la terre, si grosses et si nombreuses que ses ancêtres ont pu s'en servir pour construire leur maison : quatre murs de pierre pour mieux se soustraire aux regards des curieux, loin des voisins. Quatre murs pour y enfermer leurs secrets et leurs silences.

Trop de cauchemars pour les années à venir. Dans le grenier, surtout. Hier, son père en habit de noces, suspendu au plafond, son corps qui oscille… Le visage rouge et les spasmes, les membres tordus… Les craquements de la chaise sous le poids de la mère, le frottement du couteau de cuisine sur la corde trop solide, tranchée de justesse, la poussière qui vole, les marques sur le cou. Puis des cris, l'ordre de retourner dans sa chambre. Pendant la nuit, des coups de marteau, là-haut. Comme ça qu'on règle les problèmes dans cette famille : l'oubli. Condamné, le grenier. D'énormes planches en travers de la trappe. Oublier. Faire comme si. On se ferme la trappe. Point final.

Mais l'oubli ne vient pas. Elle aimerait pourtant oublier. Pouvoir rebondir sur ses souvenirs pour aller plus loin, comme ces pierres plates qu'elle lance d'un geste sec sur l'étang derrière la maison. Ricocher sur la surface de la vie et retomber intacte sur l'autre rive, sans se mouiller, sans couler.

Il a dit des choses dont elle sait qu'il ne les pense pas : « Tu es belle, je t'aime. » Il lui a dit ces choses et lui en a fait d'autres. Des choses qui font perdre la tête.

Sa mère l'a surprise, ce matin, accroupie sous la galerie – où la chatte avait mangé ses petits, l'an dernier –, échevelée, la jupe tachée, avalant des cailloux. Le visage gris de poussière, les joues sillonnées de larmes, les mains tremblantes. Une supplication dans les yeux. Sa mère n'a rien compris, une fois de plus, n'a rien deviné, n'a pas cherché à savoir. Elle l'a traînée par les cheveux, dans l'escalier, avant de l'enfermer dans sa chambre.

Larmes, sanglots, poings serrés. Elle se tord dans son lit. Le mal de ventre ne la quitte plus et va s'amplifiant. Brusques éclairs de douleur, du centre du corps jusqu'aux extrémités. Il faudra aller à l'hôpital. Les roches grossissent sans doute et se multiplient, s'entrechoquent et arrachent tout à l'intérieur. Elle le sent, son ventre, comme un aquarium sur le point de déborder, un bocal plein d'eau sale, d'algues et de gravier, avec des poissons morts qui flottent à la surface, mais elle a beau s'enfoncer deux doigts au fond de la gorge, rien ne sort, un peu de sang, c'est tout, elle pourrait crever là, au milieu du lit, une prière impossible au bord des lèvres.

Ils devront l'ouvrir et nettoyer les saletés en dedans. Et ensuite, il faudra oublier. Encore. Tout enfermer à double tour dans les ténèbres de la conscience, comme dans un grenier condamné.

## Des fantômes plus grands que moi

J'avais oublié le rituel. Ça me trouble d'y repenser. Un jeu, au départ. Un jeu d'enfant pour conjurer les démons cachés dans les plis des rideaux, leurs ombres sur le mur, les monstres sous le lit, avec leurs gueules gluantes. J'ai réclamé un deuxième baiser lorsque ma mère est venue me souhaiter bonne nuit. Pour qu'elle ne reparte pas si vite. Un deuxième, et le lendemain, un troisième, sur le front, et encore un autre, quelques jours plus tard, sur le nez, et ainsi de suite.

Au fil des semaines, le jeu s'est transformé en rituel complexe, orchestré avec soin, dont la signification nous dépassait. Un rituel qu'on ne questionne pas, qui doit être exécuté, naturellement, comme s'il était garant de l'ordre du monde, pour que le matin succède à la nuit. Une série de baisers. Le contact rassurant des lèvres douces sur mon visage. Un lien renoué soir après soir, dans le silence et le filet de lumière qui se glisse dans la chambre par la porte entrebâillée. Puis le rituel s'est disloqué, est devenu formalité à expédier, habitude vide de sens. Une peau sèche qui se détache peu à peu. Jusqu'à ce que je détourne mon visage pour éviter les tendresses maternelles. La protection insuffisante. Nous nous sommes compris. Elle n'a rien dit. Elle a refermé la porte, doucement, me laissant seul pour lutter contre des fantômes plus grands que moi.

## Le repaire des solitudes

On est là, dans mon deux et demie, évachés sur mes deux divans si mous qu'ils semblent vouloir nous avaler. L'évier rote, la fournaise gronde, la tuyauterie gargouille. Odeurs de vieille bière, de vieux linge, de vieux sexe. Ça doit puer, mais on a d'autres soucis. On a mal quelque part, et pourtant on ne réussit pas à mettre le doigt sur le bobo. Je comprends maintenant ces amputés qui ressentent des démangeaisons dans leurs membres fantômes : ils ont beau essayer de se gratter, peine perdue, c'est dans la tête que ça se passe, ou plus profond encore, dans une région imaginaire, une zone d'ombre qu'aucun ongle ne peut atteindre.

Lendemain de *peach*... Sale pilule. Cette drogue peut transformer votre vie en montagnes russes, avec des apogées d'excitation brutale suivis de phases d'abattement et de remises en question stériles. Là, on est dans le creux de la vague. Sous le niveau de flottaison. Désenchantement. Impression de tomber dans le vide sans pouvoir s'accrocher à quoi que ce soit. On se mord l'intérieur des joues, on a mal aux cheveux et on se sent comme de la merde en boîte. Jay triture un vieux magazine de chars pour se donner un semblant de contenance. Il n'a pas changé de page depuis au moins trois quarts d'heure. Ce n'est pourtant pas la page centrale d'un *Hustler*. Mathieu compte les fentes du plancher ou contemple le papier peint jaune comme son cœur. Sacha combat la fatigue à grandes rasades de café froid. Intoxiquée au cutex, n'ayant plus d'ongles à ronger, Lydia s'attaque maintenant à ses cuticules et à la pulpe de ses doigts. Moi, j'ai envie de me lever et de hurler, de sortir avec des ciseaux et de crever les yeux des passants dans la rue jusqu'à ce qu'on m'attrape et m'enferme. Ou bien, mieux encore : j'irais au Musée d'art contemporain, snifferais de la poudre à canon avant de m'exploser la tronche pour que ma cervelle éclabousse le mur du hall d'entrée. Ma dernière œuvre : *L'Intelligence dispersée*. Durée de l'exposition : une seule journée. Tout un *happening*! Le *top* du *performance art*! Du jamais-vu pictural! Succès posthume! Scandale! Ma mère à *Tout le monde en parle*! (C'est beau, rêver.)

J'allume le *black light* et le stroboscope. Pour l'atmosphère. Mais bof. Le temps des partys est révolu, il faut se rendre à l'évidence. On s'est embourbés dans un cul-de-sac. Nos idéaux se sont recroquevillés comme des mouches à l'approche de l'hiver. En vase clos, chacun rumine sa hargne, tourne et retourne dans sa tête des pensées lépreuses, aussi grises que les murs de gyproc qui s'effritent. Le plafond, bas, est un couvercle qui nous comprime. Aucune évasion possible. Ma seule fenêtre donne sur un carré de briques, haut et large. L'humour noir foncé d'un architecte ennemi du soleil.

Dans l'appart d'à côté, les voisins fourrent comme des débiles. Pouah! Si ce crétin balance la sauce, dans neuf mois, on entendra peut-être un bébé de plus brailler à se fendre les cordes vocales pendant que ses parents fabriquent un autre *kid* dont ils ne seront pas capables de s'occuper. Quoi, déjà? Toujours aussi précoce, l'animal. Dans deux minutes, ils vont se lancer des assiettes ou des insultes, la suite habituelle de leur coït hebdomadaire. Au moins, ils ont encore des choses à se dire. Nous autres, on ne se parle plus, on se regarde à peine. On fait juste une surdose de nous autres. On est trop pareils, avec nos yeux creux, nos gestes dérisoires quand on fume de la poussière, glane les mégots dans le cendrier, tord les bouteilles en se répétant : « Demain, c'est fini. »

Des mollusques : voilà ce qu'on est. Notre conscience, comme la leur, est réduite au strict minimum. Même nos révoltes sont ridicules. On n'a pas assez de force pour serrer les poings, pour mordre nos muselières. Alors qu'on sait très bien qu'il y a des actions décisives à entreprendre : militer contre la clitoridectomie en Ouganda, se laver les cheveux, raser la ville pour tout rebâtir à neuf, vider la litière, qui commence à ressembler à un carré aux dattes, acheter du Pepto-Bismol pour guérir nos aigreurs gastriques, dénoncer le Chinois du resto d'en face à la SPA, suivre la règle des trois R, investir dans des REER, *et cætera, ad nauseam*. La liste est longue, trop, et c'est justement ce qui nous écrase. On manque de patience et on met un point d'honneur à savourer l'instant présent. Mais dans les faits, la seule force qui nous anime, c'est la force d'inertie.

*L'ici et maintenant...* super ! Et l'avenir ? Il est sombre, donc on n'y pense pas. Ou plutôt : on s'efforce de ne pas trop y penser. Une chose est sûre, si on continue à glisser sur cette pente, on mourra jeunes. Pourtant, on a encore quelques années devant nous. Mais qu'est-ce qu'on peut attendre du futur, ce grand trou noir qui avale tout ? Essayons de deviner.

Mathieu ? Pas compliqué : après une énième cure, il va se remettre sur les rails. Le fils prodigue va terminer son droit, s'éreinter comme un âne et obtenir des résultats passables. Incapable de commettre les fraudes subtiles qui sont des barreaux dans l'échelle sociale, il va se caser à l'aide juridique, héritant des clients sans ressources et des causes perdues d'avance. Au menu du jour, du stress à la pelle. La cerise sur le sundae : un beau *burn-out*. Les antidépresseurs n'arrangeront rien, bien au contraire. Au moins, notre ami va avoir le bon goût de couvrir les meubles avant de se flamber la cabane à moineaux. Un suicidé propre et respectueux.

Jay, lui, il n'a même plus de principes dans sa crapulerie. Le scénario est clair : il va s'acoquiner avec des Hells Angels et leur faire une entourloupette magistrale. De deux choses l'une : ou ils vont le zigouiller net frette sec, ou il va s'esquiver sans demander son reste. Délateur à la solde des flics ? Possible... Et on sait comment ils finissent, ceux-là. Au mieux : avec le mot CROSSEUR tatoué d'une tempe à l'autre. Au pire : au fond du fleuve, enchaînés dans un sac de couchage, avec des bottes en ciment.

Et Lydia, la belle Lydia qui se frotte sur n'importe qui quand elle a froid ou faim? Dans la chambre quelconque d'un motel à coquerelles, son dernier râle va rester collé dans un oreiller jaune. Un de ses clients va avoir succombé à son charme malsain. Crime passionnel. Au bout du petit matin, un enfant va trouver le cadavre bouffi dans les algues de la grève. Traumatisé à vie. De la job pour les psys.

Quant à Sacha, lui, oh! c'est de la viande coriace. Il ne pétera pas du cœur. Il va aller rejoindre les fuckés de l'église Saint-Roch, jeunes vieux et vieux presque déjà morts. Ceux qui trouvent parfois un bonheur éphémère dans une poubelle. Après sa ration de café fade, de pain rassis et de chaleur humaine dans une soupe populaire pleine à craquer, il va longer les trottoirs avec son panier rempli de papiers, de chiffons, de bouteilles, le vent dans les pattes, du vert-de-gris dans les yeux.

Et moi là-dedans? Qu'est-ce que l'avenir me réserve? Honnêtement, je préfère ne pas y penser... Je pourrais offrir mes services comme diseur de bonne aventure : « Oyez, oyez! Venez consulter l'oracle Bruno! Les cinq premières minutes sont gratuites! » Imaginez! Les gens sortiraient de mon cabinet et fileraient se pendre. On observerait une hausse phénoménale du taux de suicide au Québec. Soyons sérieux ! Ce qui pourrait m'arriver de mieux serait de finir dans l'armée. Ou dans une boucherie. Chair à canon ou faiseur de steak haché… Pas grand différence, quand on y pense. Changeons de sujet.

## Miss Balcon

Tu m'as d'abord séduit parce que tu écrivais sur ton blogue que ton rêve était de manger des chips au vinaigre avec Lady Gaga, la plote à l'air sur ton balcon. Je trouvais l'image forte, à défaut d'être belle, et je me disais que tu devais avoir... de la personnalité. Tes doutes faisaient écho aux miens. Chacun de tes textes me touchait comme une décharge de gros sel dans les tripes. Il fallait que je te voie.

Je t'ai contactée en privé et on s'est donné rendez-vous. Tu m'as invité à souper chez toi. Finalement, tu n'avais rien préparé et on s'est fait livrer de la pizza. Ton appartement était presque aussi sale que le mien, rien de glorieux, vraiment, avec ce papier peint boursouflé par l'humidité, les angles pas tout à fait droits d'un immeuble qui travaille depuis des décennies, des caisses de bouteilles vides empilées dans un coin et ces livres éparpillés un peu partout qui prenaient la poussière. Mais je m'y sentais bien. Et pendant que je finissais les croûtes, ton dalmatien abruti nommé Cioran, s'étant pris d'affection pour moi, me bavait sur la jambe.

On a fumé un joint et parlé d'un tas de trucs plus ou moins décousus. On se racontait nos vies, quoi. Et on trouvait toujours le moyen d'insérer ça quelque part : « Ouais, je te comprends, j'ai vécu ça aussi, bla bla bla… », histoire de faire rebondir la conversation et d'établir une espèce de connivence, mentant un peu, par-ci par-là… oh, pas mentir vraiment. Juste tourner les coins ronds. Première rencontre. Il ne faut surtout pas se prendre la tête avec des détails.

Et pendant qu'on jonglait avec les sujets, on buvait du vin. On calait à même le goulot en s'échangeant la bouteille, sans dégoût, avec la familiarité de ceux qui se connaissent depuis longtemps. Il y avait du Nirvana en musique de fond. Et tu as ouvert les valves… Tu parlais, tu parlais… Intarissable. Un peu trop gelé, je faisais semblant d'écouter tes histoires où il était question soudain d'yeux de vitre sur des allées de quilles, de chiens chinois et de fauteuils roulants, de nains fétichistes de la hache, et je ne sais plus trop, une belle galvaude surréaliste, je comprenais tout de travers, d'ailleurs je pensais à autre chose. Et là, tu t'es levée pour mettre le DVD de *L'Incroyable Homme qui fond,* devinant sans doute que j'approchais moi-même du point de fusion. Ensuite je n'ai pas pu me retenir : dès que tu as posé tes fesses sur le divan, j'ai jeté une pluie de baisers fous dans ton cou, comme si ma vie en dépendait, tu as murmuré un *non* pas du tout convaincant, bombant la poitrine, et je suis descendu bec par bec vers tes seins qui me sautaient au visage, mes mains ont glissé sous ton t-shirt et trouvé le lieu qui les réclamait, tu penchais la tête vers l'arrière et ta respiration accélérait, j'ai dégrafé ton soutien-gorge et ensuite tout s'est passé très vite, une minute plus tard, on était nus, moi assis sur ton divan avec un *spring* dans le cul, pensant : *Je rêve ou ma queue est dans la bouche de cette fille que je connais depuis à peine plus d'une heure ?* Puis je t'ai prise en levrette, sans même tirer les rideaux, ton voisin d'en face aurait pu nous voir, les passants dans la rue aussi, en levant un peu les yeux, mais on s'en fichait, tout se déroulait comme une évidence. Je t'embrassais les épaules avec une tendresse qui contrastait avec la sauvagerie du va-et-vient, et on se mangeait la bouche comme des affamés pendant que je m'enfonçais au plus profond de tes terres intimes. Ainsi en agissant tels des animaux se réconciliait-on peut-être avec la nature humaine.

Puis on s'est endormis, bercés par le vrombissement du ventilateur. Et tôt le matin, je t'ai réveillée avec mes doigts, j'ai fait des folies pour que tu chantes des chansons sans paroles, attentif au plus léger souffle qui s'échappait de tes lèvres, aux soubresauts de ton ventre, aux battements de tes cils, à ces signes subtils inscrits sur la partition du plaisir, et j'ai fini avec ma langue entre tes jambes pour goûter ta quintessence, et quand tu as joui enfin j'ai eu l'impression que tu te dégonflais, comme si tu te déchargeais de mille siècles de tension.

On est restés là, dans le lit en bataille et les draps mouillés, une dizaine de minutes, à fixer le plafond, la tête vide.

Tu as fait du café qu'on a bu en silence en mangeant des toasts au beurre de pinottes. Un rayon de soleil tombait sur le balcon, un vieux balcon à balustrade en ferronnerie dont la peinture s'écaillait. C'était très beau, le genre d'instant parfait qui meurt trop vite, tout ça : les poussières microscopiques qui dansaient dans l'air, le rayon de soleil oblique qui traversait la porte-fenêtre pour venir mourir à nos pieds sur le carrelage, la mèche récalcitrante qui retombait sans cesse dans tes yeux de personnage de manga.

Tu as jeté les assiettes dans l'évier déjà débordant, allumé la télévision et une cigarette dont la fumée s'est répandue en volutes dans l'appartement pour jaunir un peu plus les murs. Tu t'es plantée devant la fenêtre, en brassière, la tête levée vers le ciel d'un bleu irréel, pendant que moi, je regardais dans l'écran le ballet brutal des personnages de dessins animés qui se cassaient joyeusement la gueule dans une explosion de couleurs. Et je me suis surpris à envier leur destin en deux dimensions, cette capacité qu'ils ont de se jeter dans le vide sans hésitation, sans craindre de s'écraser au sol dans un fracas d'os de plus en plus difficiles à ressouder. J'aurais aimé être libéré de cette peur de tomber en bas de moi-même qui m'empêche de sauter à pieds joints dans la vie. Je suis parti, prétextant n'importe quoi. Tu ne m'as pas retenu.

La vie n'est qu'une série de départs, n'est-ce pas?

## Droit devant

Voler une voiture pour filer droit devant, sans se poser de questions. Dépasser les limites de vitesse, toutes vitres baissées, sous le ciel d'un bleu si pur qu'il nous monte à la tête et nous donne envie de nous affubler mutuellement de noms mignons à deux syllabes, comme le font les amoureux gavés d'été. Oui, à neuf heures du matin – sans peser le pour et le contre, sans chercher le pourquoi du comment, en balayant les toiles d'araignée dans nos cerveaux d'enfants –, voler une voiture stationnée devant un dépanneur pour fuir cette ville, cette vie, ce vide. Une fois pour toutes. Mentir mieux. Réinventer les règles du jeu. Rouler, rouler, rouler. Arrêter à une halte routière dans un crissement de pneus, courir à une table de pique-nique pour manger des fraises trempées dans le Nutella, s'embrasser à pleine bouche en se roulant dans l'herbe, puis remonter dans la voiture et démarrer en trombe en se foutant de l'effet de serre, du cancer de la peau, du smog mexicain et de la fonte des glaciers. Effrayer les autostoppeurs, qui pourtant en ont vu d'autres. Écraser les mouffettes sans se soucier de la puanteur qui colle aux pneus, avec à nos trousses des militants pour les droits des animaux, tristes activistes qui finiront leur poursuite dans le décor : une dizaine de tonneaux dans le fumier, écrasement dans une grange déjà en ruine ; spectacle auquel assistera seulement une vulgaire troupe de vaches que rien n'émeut. Nous, on sera déjà loin avec notre fléau à quatre roues – la peinture du capot qui lève par plaques, l'aiguille collée à l'extrême droite du compteur, le moteur poussé au maximum. Douce vibration dans le basventre.

Voler une voiture pour atteindre l'horizon, les frontières déguisées en promesses. Passer la douane sans problème, même si j'ai un dossier criminel épais comme une bible. Corrompre la douanière avec une liasse de billets trouvée dans la boîte à gants.

Sauter dans l'aventure à pieds joints, tirer l'élastique jusqu'à ce qu'il nous claque au visage ; rouler sans boussole, sans carte, nuit et jour, vers la canicule suffocante, le sud sans fond. Traverser les États de ce pays pourri, jusqu'aux confins de la civilisation, où les pompes à essence crachent de la rouille. Foncer comme des évadés de prison sur une route de poussière qui semble ne mener nulle part. Tomber en panne devant un ranch perdu, échapper de justesse aux balles des *rednecks* en manque de lynchages, trouver encore assez d'énergie dans nos corps desséchés pour aller toujours droit devant dans cet enfer texan qui s'étale à perte de vue.

Prétendons enfin que nos paupières se collent, que nos membres finissent par ne plus obéir et qu'on meurt de soif, la bouche pleine de sable, escortés par les charognards, en rêvant encore aux oasis qui ne doivent pas être si loin.

## Le tatouage

Pourquoi faut-il que tu réapparaisses ici, Maurice, à l'improviste, dans ce livre où tu n'as pas vraiment ta place ? Tu t'incrustes dans ma mémoire comme tu t'imposais chez nous : tu arrivais sans t'annoncer pour cuver un chagrin d'amour, réparer ton tas de ferraille, fuir des créanciers. Et tu partais quand ça te chantait.

À la maison, tu savais que tu pouvais toujours trouver une caisse de bière et un lit propre. Et surtout, un ami, papa. Ton seul véritable ami. Une chance que tu pouvais compter sur lui pour te défendre quand tu sautais une coche, insultant sans raison les inconnus dans les bars ou dans la rue. Avec ton squelette de poulet, un enfant aurait pu te démolir ! Sans papa, tu te serais fait casser le dentier plus d'une fois.

Tu arrivais dans la cour avec ta bagnole

rouillée. Maman se postait devant la porte, les poings sur les hanches, le regard noir. Elle te détestait. Je peux la comprendre. Tu vidais les pots de café, me donnais des bonbons avant les repas et entraînais son mari dans des beuveries chaotiques. Une tache d'huile dans notre quotidien : tu te répandais, difficile à déloger. Elle se plaignait aussi de ton odeur de merde, te traitait de dégueulasse. Excuse ma franchise, mais parfois, la délicatesse est ridicule. Je ne peux pas te transformer en prince charmant. Tu manquais de savoir-vivre, et l'hygiène ne figurait pas dans la liste de tes priorités.

Je me rappelle ce vendredi où tu nous as semblé métamorphosé, portant des vêtements propres, rasé, les cheveux coupés. Et à jeun, en prime. Invraisemblable... Les yeux en face des trous, tu réussissais à formuler des phrases cohérentes, sans hésitation ni bégaiements. Surexcité, tu parlais en gesticulant : « Elle m'a changé, oui, je menais une vie de fou... Grâce à elle, je m'en rends compte. Finie la débauche. » Tu pleurais et riais en même temps. Te voir émerger de ta torpeur coutumière me rendait perplexe. « Et on la connaît, cette femme-là ? » a demandé papa. Tu as sorti de ton portefeuille une icône. Quoi ? Tu te mettais dans tous tes états pour la Sainte Vierge ?

Sacré Maurice! Assis sur le divan, les mains sur les cuisses, tu souriais comme un élève qui pose pour une photo d'école.

La Sainte Vierge! Quelle idée! Mais on peut s'attendre à n'importe quoi d'un gars qui invente *la table de billard triangulaire* et qui collectionne les sous noirs trouvés dans les stationnements. Ne sachant trop comment réagir, papa t'a offert une bière. Tu l'as repoussée comme s'il te proposait d'avaler de l'acide sulfurique. « Non! J'ai changé! Je m'inscris demain aux Alcooliques Anonymes. » Papa a froncé les sourcils : « Et à un groupe de prière? »

Dans tes rares intervalles de lucidité (quand les vapeurs de l'amour et de l'alcool se dissipaient dans ton cerveau détraqué), tu cherchais un sens à ta vie. Tu t'accrochais à n'importe quelle bouée, mystique sporadique, putain de la piété, tutoyant Bouddha, jasant avec le Grand Manitou. Tu carburais à l'obsession, tu en changeais souvent. Cette fois, tu en pinçais pour la maman de Jésus, voilà tout.

\* \* \*

Moi, je n'avais même jamais mis les pieds dans une église. Ça me semblait une expérience digne d'être vécue. Je t'ai donc accompagné à la messe. L'heure la plus pénible de ma vie, perdue sur un banc dur dans une église aux trois quarts vide où stagnait une odeur d'encens et d'humidité, où seules les mouches semblaient excitées. Une heure à regarder des vieillards feuilleter leur livre de prières et suer dans leur habit du dimanche. Une heure à écouter un connard en soutane aligner des platitudes pour un auditoire moribond. Soixante minutes qui donnent une triste idée de l'éternité. Mais tu te foutais bien du baratin chrétien : Dieu le Père, le petit Jésus, le troisième machin truc. Tout ça, ça te passait dix pieds au-dessus de la tête. La Vierge seule te séduisait dans le bric-à-brac catholique. Pendant que les gens marmonnaient les phrases que le prêtre venait de prononcer (chanson à répondre pour une fête de cancéreux en phase terminale), toi, tu restais silencieux, les mains croisées sur le sexe, les yeux rivés sur la statue de Marie qui rayonnait. Tu la fixais avec intensité comme si tu t'efforçais de deviner la forme de ses seins sous les plis du drapé.

*   *   *

Deux mois plus tard, on t'a rendu visite chez toi. On n'avait plus de nouvelles depuis ta plus récente conversion. Deux mois sans te voir, c'était exceptionnel. D'habitude, tu ne passais pas vingt jours sans venir t'échouer sur notre divan. Essayais-tu de te soustraire à notre influence pernicieuse? Il est vrai qu'à la maison les partys finissaient tard, la musique faisait trembler les murs, et les invités ne faisaient pas partie du gratin de la société. Vraiment pas le lieu idéal pour se ressourcer.

On commençait à s'inquiéter, tout de même. Personne ne se souciait de ta vie minuscule, atome autonome, quantité négligeable pour tous, sauf pour nous. Tu ne possédais pas de téléphone, pas de détecteur de fumée, le voisin le plus proche habitait à plusieurs kilomètres. Aucun moyen d'appeler à l'aide si tu t'étouffais avec un os de poulet, glissais dans un précipice ou te tronçonnais une jambe.

Lorsque tu as entendu les pneus de la Pinto de papa crisser sur le gravier de ta cour, tu es venu à notre rencontre, comme si tu nous attendais. Serrements de mains, tapes dans le dos. On a jasé de tout et de rien en se tartinant de chasse-moustiques. Derrière ta cambuse, on a fait un feu dans le foyer de fortune fabriqué avec des pierres. Les mouches à feu virevoltaient autour de nous. Au loin, un volatile nocturne hululait. On faisait cuire des saucisses piquées sur des branches. Puis tu t'es levé sans mot dire et t'es dirigé vers ta cabane. Tu es revenu coiffé d'un panache à plumes de grand chef indien. Une autre de tes excentricités : tu portais souvent ce truc-là. Debout, les bras levés vers les étoiles, tu t'es mis à chanter : « Ô Marie, ô Marie, merci pour l'amour, merci pour la pluie. » Cette phrase, tu la répétais encore et encore, en crescendo, sur une mélodie à trois notes, mélancolique et obsédante. Un changement dans ta voix, soudain. Un timbre rauque, comme de la rouille dans la gorge. Ta voix me faisait peur : une peur qui crispe les viscères, de celles qu'on peut ressentir la nuit dans les bois. Après ce chant bizarre, tu as tourné sur toi-même, puis tu t'es écroulé par terre. Tu as craché dans le feu. Le calme est revenu. Tu t'es assis à côté de nous.

« J'ai eu une vision. Un tatouage… ici, sur le bras droit. La Vierge. Faut que ça soit fait. Demain. Et rien que toi peux le faire, c'est écrit dans le ciel. » Tu ne me l'as pas demandé : tu l'as décrété, le plus simplement du monde, comme on énonce une évidence.

*   *   *

Quand les fées se sont penchées sur mon berceau, elles finissaient sans doute leur tournée, car tout ce qu'elles ont laissé tomber de leur sac à qualités, c'est une espèce de talent artistique. À quatorze ans, je tatouais qui le voulait bien. Pour Noël, mes parents avaient commandé un ensemble de professionnel : tout le nécessaire pour se mettre à l'œuvre. Papa m'avait servi de canevas et j'avais lu des tonnes de revues sur le sujet. On avait transformé la salle de jeu en studio. Des clients de plus en plus nombreux me faisaient confiance. Aucun concurrent à plusieurs milles à la ronde. Je commençais à me faire un nom. Les affaires roulaient bien.

Vers onze heures et demie, après la messe, tu t'es pointé. Nerveux. Pendant que je préparais mes instruments, tu as grillé quatre ou cinq cigarettes, les allumant l'une sur l'autre. Aussitôt que tu as entendu le bourdonnement de la machine, tu as sorti une bouteille de whisky. « Pour me donner un brin de courage, là, parce que tu sais... j'ai peur des aiguilles. » Pourtant, du temps de ta jeunesse, tu ne craignais pas de t'enfoncer une seringue dans le bras...

Tu n'arrêtais pas de geindre et de bouger. Le cauchemar de tout tatoueur. Il aurait fallu t'attacher à la chaise. Ta peau molle, au grain irrégulier, enflait beaucoup, absorbait mal l'encre et se déformait sous la machine comme du carton mouillé. Tu saignais comme un cochon : l'alcool éclaircit le sang et tu buvais vraiment trop. Papa est venu voir où on en était rendus. Il a semblé consterné. Il a compris quand il a vu la bouteille de Jack Daniel's vide. Tu hoquetais en essayant d'embrasser ton tatouage. Puis tu as roulé en bas de la chaise. Papa t'a foutu deux baffes. On a essayé de te relever. Peine perdue. Tes jambes ne te supportaient plus. Papa t'a pris dans ses bras comme un bébé et t'a couché dans la chambre d'amis. Peu de temps après, tu t'es levé pour aller aux toilettes.

Bruit de chute. Tu avais pissé sur la laveuse avant de t'étaler sur le carrelage, les culottes aux chevilles. Papa et maman sont retournés dans le salon, j'imagine que plus rien ne pouvait les surprendre, venant de toi. Ils étaient habitués à tes éclipses de conscience. Mais pas moi. Je suis resté là, longtemps, à t'observer, comme on examine avec curiosité un mutant dans un *freak show*.

\*    \*    \*

Vers trois heures de l'après-midi, tu t'es levé avec une bosse sur le front et une sale gueule de bois. Tu as avalé la moitié d'une bouteille d'aspirine et l'as fait passer en calant une bière. Ton tatouage était moche, couvert de sang séché. Des brins de tissu s'y étaient collés. Et le temps – pour faire mentir les rabâcheurs de proverbes – n'arrangea rien du tout. L'infection s'est répandue, rendant encore plus difficile la guérison. Le résultat final pouvait bien être l'un des tatouages les plus affreux de l'Histoire. Le genre de monstruosité qui naît dans la cale d'un bateau secoué par la houle. Le noir avait pâli et la Sainte Vierge, toute en zigzags irréguliers, ressemblait à un cadavre. Ridicule! Mais plus ridicule encore : ta satisfaction. Tu n'hésitais pas à retrousser ta manche pour montrer ton tatouage à tout le monde, me présentant comme *l'artiste*. Les gens regardaient cette œuvre d'un goût douteux sans savoir comment réagir. On pouvait lire la perplexité sur leurs visages. Voyaient-ils la honte sur le mien? Personne ne me félicitait et je ne réclamais pas d'éloges. Tu ne te lassais pas d'exhiber fièrement cette horreur. Mais pouvais-je t'en empêcher?

On s'accroche à ce qu'on peut, dans la vie, surtout quand on n'a rien.

## Les lèvres anonymes

Pour tout dire, sans rien embellir, elle ressemble à un jambon enroulé dans de la clôture à losanges. C'est sa poitrine surdéveloppée qui entre d'abord dans mon champ de vision. Elle ne porte qu'une brassière noire sous une camisole en filet qui dévoile un bide impudique, une obésité flagrante. Bottes d'armée délacées, bas nylon filés, string trop serré. Collier de cuir garni de clous. Trois pouces de fond de teint. Une tête pas possible, nimbée d'une chevelure noir de jais si crépue et foisonnante qu'elle pourrait sans peine y cacher un dildo. Ou une machette. Bref, elle ne ferait pas la couverture de *Châtelaine*.

Adossée à un mur près du bar, les bras croisés, seule, elle me regarde pendant que je jase avec des amis. Plus précisément, elle me dévore du regard. On croirait qu'elle n'a jamais vu un homme de sa vie. Son insistance me met un peu mal à l'aise, car voilà : qu'une fille moche s'intéresse à moi ne déplaît pas à mon ego ; ce que j'aime moins, c'est qu'on voie qu'elle m'observe. Et il est évident que je monopolise son attention. Avant que les gars ne se mettent à se donner des coups de coude en me lançant des blagues douteuses, je m'esquive.

Le premier groupe commence à jouer. Pourri. Ces gars-là ne savent pas enchaîner deux accords. Et elle ne me lâche pas des yeux. Pour échapper à la fois à son regard et à cette torture sonore, je sors de la salle. Mais où que j'aille, elle me suit. Zéro subtilité. Un vrai crampon. Elle m'exaspère.

— Eille ! Qu'est-ce que tu veux ?

— Ce que toi tu veux…

— Je veux rien pantoute.

— T'es sûr ?

— J'en ai pas l'air ?

— T'as l'air d'un gars qui peut pas refuser une pipe.

— Non merci.

— Pourquoi pas ?

Avant que j'aie pu formuler une réponse, elle s'approche, plaque ses seins sur moi et me caresse l'entrejambe. Érection immédiate. Je bande pour l'idée du sexe bien plus que pour la femme en chair et en os, devant moi, avec un nom et une existence réelle. Une idée suffit. Elle m'entraîne dans une ruelle, derrière un resto chinois. Je la suis sans réfléchir. Mon jugement a foutu le camp, un court-circuit a fait sauter quelques fusibles dans mon cerveau. Elle me pousse sur le mur de briques, à côté d'un conteneur à déchets sur lequel est inscrit *Love is dead*. Elle s'accroupit devant moi, défait ma ceinture, descend mon pantalon et mon boxer et, sans hésiter, commence à me sucer. Je ferme les yeux pour me concentrer sur la sensation. Il fait froid. Ça pue. Un mélange d'odeur de friture et d'ordures. J'entends en bruit de fond de la musique molle venant du resto, une rumeur de passants et de voitures. L'idée me vient que je suis en train de me masturber avec une bouche. Contre toute attente, il s'agit sans doute de la meilleure fellation de ma vie. Elle s'occupe de ma queue comme s'il n'existait rien de plus important dans l'univers. Les lèvres anonymes resserrent leur pression. Le rythme accélère. Ça devient intense. Elle attrape mes couilles et les écrase dans sa main. Bouillonnement dans le bas-ventre… Je jouis au fond de sa gorge avec un cri. Dans un mouvement brusque et involontaire, ma tête heurte le mur. La douleur irradie dans tous les recoins de mon crâne, je vois des points de couleurs.

J'ai les jambes molles. Le souffle court. La chair de poule. J'ouvre les yeux. Je bredouille un merci mal assumé. Elle se relève, me fixe. Sans dire un mot. Mais son silence hurle. Tout son être se concentre dans ses yeux. Des yeux douloureusement beaux de tristesse, de dégoût, de désespoir. L'instant d'un moment, je la comprends. Je préférerais ne pas la comprendre. Elle essaie de m'embrasser. Je détourne le visage.

— Va-t'en. S'il te plaît.

À ma surprise, elle obéit, sans rechigner. Elle ne se retourne pas.

## Faire pousser des fleurs dans la merde

La solitude, dès le début, très jeune. Au fond du terrain de jeux, assise sur une bascule, cramponnée à l'arceau, les pieds dans l'eau, la morve au nez. Une bascule qui n'a de raison d'être que si l'on est deux, tu le sais et tu attends, tu espères, mais les autres enfants s'amusent dans les glissades rouges et les échelles de corde, se souciant peu de la bascule triste et de la fille qui l'est tout autant.

La solitude dans un coin de la classe, dernier pupitre, rangée du fond, à côté de la fenêtre, où tu observes le vieillard qui promène son chien sous la pluie pendant qu'on te lance des boulettes de papier mâché dans les cheveux. Tu as toujours la tête ailleurs mais d'excellents résultats, ce qui leur donne une raison supplémentaire de te repousser. Les enfants détestent la différence, et ils aiment détester.

La solitude dans les cours d'éducation physique, les chuchotements lorsque les équipes sont formées et que tu restes la dernière, l'impaire, l'indésirable. La maladroite qui s'empêtre dans ses propres jambes. La déception des uns, le soulagement des autres, quand le professeur décide que tu feras partie de tel ou tel groupe en sachant très bien que tu resteras, de toute façon, sur le banc, à froisser entre tes doigts l'ourlet de ton t-shirt, à éternuer parce qu'il y a trop de poussière dans ce gymnase, parce qu'il fait froid, aussi. La solitude te suit jusqu'au vestiaire, où les autres filles se déshabillent sans problème en parlant des copains qu'elles devraient laisser, du magasinage de la fin de semaine passée, de la nouvelle chanson de Rihanna.

La solitude encore, au milieu des toutous amoncelés au pied du lit. Usés par les câlins, mouillés par les larmes qui coulent parfois sans raison. Des amis silencieux, immobiles, qui ne peuvent pas remplacer de vrais amis en chair et en os, tu le sais trop. Seulement des amis imaginaires en peluche. À peine plus que des oreillers, en fait. Des coussins en forme d'animaux. Quand tu as joué au vétérinaire, tu l'as bien vu. Tu les as éventrés, un par un, avec des ciseaux, pour voir s'ils avaient un cœur. Quand ils ont constaté le carnage, tes parents t'ont interdit de sortir de ta chambre pour toute la soirée. En pensant te punir. La solitude des parents, aussi. Deux blocs Lego brûlés qui ne s'assemblent plus. Le grand lit mort, les silences lourds suivis de menaces ; puis le divorce, la guerre judiciaire. Et toi au milieu, écartelée. Tu refuses de prendre la défense de l'un ou de l'autre quand les accusations explosent. Tu ne dis rien, tu n'écoutes plus : une chance que la télévision existe.

La solitude, tu la traînes à travers l'adolescence, elle grossit dans ton ventre comme une tumeur. Le temps passe mais n'arrange rien, loin de là. Les journées sont longues avec ce chaos dans ton corps, les crampes, les jambes qui tremblent, le sang. Et ces envies soudaines de pleurer ou de tuer, mois après mois. Ton intuition se change en conviction : tu ne comptes pour personne. Sans parler de cette impression d'être crottée, cette envie de gratter tes boutons avec tes ongles, un gant de crin, du papier sablé. Frotter jusqu'à l'os, jusqu'au fond du problème, jusqu'à la racine du mal.

Et tu rêves de moins en moins à celui qui t'empêcherait de verrouiller les portes, de fermer les rideaux, d'éteindre les lumières, de décrocher le téléphone, de vérifier la résistance des poutres du plafond, de grimper sur une chaise et de glisser ta solitude dans un nœud coulant. Un scénario que tu soignes un peu trop. Ton seul projet, dont l'exécution est sans cesse reportée puisque, tout compte fait, tu n'as pas plus de raison de mourir que de vivre. Tu préfères encore rêver parfois à un garçon gentil, qui t'aimerait comme tu es. Un garçon qui s'appellerait Jason, par exemple, un prénom pas trop long que tu pourrais te faire tatouer autour du nombril. Il serait là pour toi, resterait assez longtemps pour décadenasser ton cœur, ne baiserait pas comme un marteau-piqueur et ferait les meilleurs déjeuners du monde. Un garçon aux bras chauds qui te trouverait belle dans la lumière du matin, sans maquillage, qui t'embrasserait les paupières, doucement. Un garçon avec qui les bancs de cinéma seraient confortables et les navets goûteraient bon. Un garçon qui rirait fort et dérangerait les voisins. Un garçon plein de bonne foi à qui il ne serait pas nécessaire de mentir. Il te ramasserait quand tu tombes dans les escaliers, désinfecterait tes genoux écorchés, ferait naître un soleil dans ton ventre, ne te traiterait jamais de folle ou de conne.

Un garçon simple avec qui la vie pourrait être belle, ou du moins, supportable. Avec qui tu pourrais envisager la possibilité du bonheur.

*Un garçon qui n'existe peut-être pas* : voilà ce que tu penses. Et tu te penches, le nez dans l'oreiller, cul relevé, dos cambré. Derrière toi, François. Ou Jean-François ? Tu ne t'en souviens plus, tu as trop bu. Et puis, François ou Jean-François : quelle importance ? C'est un homme anonyme que tu ne veux pas trop regarder dans les yeux. Un bouche-trou dont tu n'attends aucune fausse promesse et qui l'a bien compris. Ses déhanchements mécaniques, sa fureur de baiser comme mille coups de couteau dans la même plaie. Le condom qui éclate. Une jouissance, peut-être, oui, une jouissance brève et presque douloureuse. Puis le noir. Le silence. Le sommeil.

Et la pilule... oubliée.

Le lendemain, réveil pénible : haut-le-cœur, mal de bloc. Certitude de la solitude. Un lit désert. Sur la table de chevet, un billet de vingt dollars chiffonné. Et une note : *Je suis généreux.* Tu t'en fous de ce con. Avec l'argent, tu achètes deux bouteilles de vin *cheap*. Momifiée dans les couvertures, tu te gaves de télévision toute la journée en buvant. Les pubs de gaines amaigrissantes, de matelas miracles et de pilules du bonheur te lavent le cerveau. Dans le journal, tu consultes les colonnes *Homme cherche femme* : toujours les mêmes désespérés. Tu as peur de finir par leur ressembler, à eux et aux clochards qui parlent seuls dans la rue, aux autistes reclus dans leur bulle impénétrable, aux vieilles filles qui ne sortent jamais de leur appartement trop étroit, qui collectionnent les bibles et qui se laissent lécher la bouche par leur caniche dans leur chaise berçante. Les bouteilles de vin sont vides. Tu te sens vide aussi. Tu voudrais pouvoir appeler François ou Jean-François. Malgré la honte. Pas pour lui parler. Tu imagines ses mains sur ton cul. Vos sexes s'emboîtant encore une fois. Une dernière fois. L'illusion de sa présence devient vite insoutenable et tu lances le téléphone sur le mur, te roules en boule au milieu de ton lit, comme le fœtus que tu n'aurais jamais voulu cesser d'être.

Et tu remues les mauvais souvenirs et les idées noires, sans parvenir à faire pousser des fleurs dans cette merde.

## Dimension parallèle

J'ai grandi au milieu des cris dans une maison dont le toit de tôle rouillait çà et là. Je n'ai pas d'histoire à raconter, à peine un nom, de ceux qu'on oublie vite. De mon enfance il n'y a pas grand-chose à dire, sinon que je m'estime heureux aujourd'hui d'en avoir perdu des bouts. En fait, j'aimerais avoir une autre mémoire. Un passé plus consistant. Mes souvenirs sont troubles. Comme des rêves difficiles à rattacher au réel. Des impressions sans contours. Je cherche le sens de tout ça. Je me demande aussi si je n'ai pas fabriqué de toutes pièces certains instants de bonheur dans le lot. Pour combler les brèches. Vaincre l'absurdité. Pouvoir survivre.

J'ai grandi avec les autres enfants dans une cour de récréation où je m'amusais peu. Trop sérieux pour mon âge. Les crétins me lançaient le ballon en pleine gueule, me jetaient en bas des bancs de neige, me traitaient de tous les noms. Ils ne m'aimaient guère et je le leur rendais bien. Je saignais souvent du nez sans raison. Une vraie champlure. Quel plaisir d'en mettre partout! Il arrivait même qu'on me renvoie à la maison. Je pouvais alors quitter cette prison que j'aurais volontiers dynamitée. Une école où j'ai appris l'ABC de l'écœurement.

J'ai grandi en apprivoisant la peur, jour après jour. La même que celle des animaux battus. Une peur agrippée au ventre, qui fait trembler, la nuit, qui secoue les nerfs comme un chien enragé. La peur de ne pas être aimé. La peur qu'on m'abandonne à l'intérieur d'un labyrinthe. La peur que tout s'écroule demain. La peur de rester seul pour toujours avec cet inconnu que j'aperçois chaque matin dans le miroir.

J'ai grandi dans le tumulte des fêtes qui se terminaient parfois quand deux ivrognes en venaient aux poings. J'ai vu toutes sortes d'excès. J'ai vu des gens se détruire parce qu'ils étaient simplement heureux d'être encore en vie. J'en ai vu d'autres ramper pour une ligne de coke et ne jamais se relever. J'ai vu des hommes tout foutre en l'air en un seul soir. J'ai vu des jeunes vieillir trop vite parce qu'ils en ont trop vu.

J'ai grandi parmi les fous dans une dimension parallèle où la folie n'existe pas. Il m'aura fallu des années pour le comprendre. Le seul psy que j'ai consulté m'a assuré, après quelques rencontres, que nos entretiens étaient inutiles, puisqu'il me considérait plus sain que bien des gens « normaux ». J'ai douté de son diagnostic, puis de sa compétence. Puis je n'y ai plus repensé. J'ai grandi entre les murs de ma chambre sans fenêtres, avec un chat obèse et une télévision en noir et blanc. Des heures et des heures à me flétrir la rétine… J'écoutais des films d'horreur en boucle et n'avais aucun projet. Sauf devenir tueur en série. Ou le prochain Messie. Mais je n'y tenais pas tant que ça. Et j'insérais une autre cassette dans le magnétoscope en attendant que les choses changent. Et le soir, sous les couvertures, dans l'obscurité, à l'abri du monde, j'imaginais que je n'étais pas moi.

Je rêvais d'être n'importe qui. Sauf moi.

## Vie antérieure

Germaine n'était jamais dégoûtée de me voir entrer dans la cuisine avec une salopette tachée de sang de cochon. Il fallait bien du suif pour les chandelles, des os pour le chien, des jambons à suspendre au plafond de la chambre froide. Bien avant l'électrification des campagnes, quelque part au début du xxe siècle, nous vivions dans une maison penchée, sur un rectangle de terre rocailleuse. La grosse misère noire comme un fond de poêle. Mais nous n'en souffrions pas. D'ailleurs, nous n'avions pas conscience d'être misérables : tous nos voisins l'étaient, nous n'allions jamais dans la grande ville, nous n'avions rien connu d'autre que cette vie rude et nous n'étions pas du genre à nous plaindre. Nous cultivions des patates.

Mes vêtements étaient crottés la plupart du temps. Le tablier de ma femme n'avait pas meilleure mine. Un vieux tablier d'une couleur incertaine qui avait survécu à d'incalculables éclaboussures de soupe aux pois et de vomi de bébé. Nous avions eu une grosse famille : douze enfants en tout, neuf garçons et trois filles ! (Sans compter deux fausses couches et un mort-né dans le pire janvier du monde.) Faire des enfants chaque printemps et les regarder pousser, ça avait été notre affaire ! Ils étaient partis, les uns après les autres, pour suivre notre exemple et engendrer à leur tour une marmaille grouillante.

J'en perdais des bouts et je radotais aussi, mais ça ne dérangeait pas ma Germaine, qui commençait à être sourde de la feuille. Jamais elle n'était dégoûtée de me voir entrer dans la maison avec de la crotte sur les bottes. Elle ne connaissait pas le mot *élégance,* son vocabulaire étant limité, comme le mien. De toute façon, nous n'avions pas besoin de beaucoup de mots pour nous comprendre.

Elle avait les cheveux tout blancs. Je n'en avais plus tellement. Nous travaillions encore malgré la vieillesse, les maladies et l'hiver, quand la terre était prise dans le gel et ensevelie sous la neige. Il fallait nous occuper. Aussitôt que le soleil se pointait le bout du nez à l'horizon, j'allais fendre du bois dans la cour. Une espèce de chien me tournait autour en jappant; un bon bâtard trouvé sur la route, un jour de pluie. Un ami qui me suivait partout.

Chaque dimanche, nous enfilions nos plus beaux habits, pas si beaux, en fait. J'attelais la picouille et, qu'il vente à écorner les bœufs ou qu'il tombe des cordes, rien ne nous empêchait d'aller à la messe. La carriole bringuebalait dans les ornières du chemin. Dans la minuscule église toujours pleine à craquer, les gens se bousculaient dans l'allée centrale, et avant même que le prêtre ait commencé à baragouiner son latin, une vapeur s'élevait au-dessus de la foule et le plafond bas suintait, les senteurs se mélangeaient : odeurs de sueur, de fumier, de bois moisi, d'encens. Nous écoutions les prières sans saisir quoi que ce soit, nous laissant bercer par cette musique étrange. Et nous allions à confesse, par habitude, pour répéter, encore et encore, les mêmes péchés véniels à un vieux curé somnolant derrière la grille.

Et dans les longues soirées, les soirées interminables de l'hiver, blême et fatiguée, ma femme se berçait près du poêle en faisant des travaux d'aiguille, tricotait des pantoufles, reprisait des bas de laine. Je fumais la pipe en la regardant coudre, poussant de temps en temps une bûche dans le poêle et remuant les braises d'un geste distrait.

Et les heures s'écoulaient lentement, lentement, dans les longues soirées froides, et nous n'avions plus rien à nous dire, mais la présence de l'autre nous suffisait, et il y avait le crépitement du feu, l'horloge et son tic-tac que nous n'entendions plus, la lueur de la chandelle, les caprices du givre sur la fenêtre et la noirceur derrière, beaucoup de fatigue sur nos épaules, et la charpente de la maison qui craquait à chaque bourrasque comme la coque d'un navire malmené par la mer.

## Lit simple, encore

Tes parents devaient planer sur l'acide quand ils ont décidé de te donner ce prénom exotique qui me fait penser à une plante carnivore. Trois syllabes qui font claquer la langue. J'ignore ton nom de famille et c'est sans doute mieux ainsi. J'emprisonnerai simplement ton image dans les oubliettes de ma mémoire. Je ne parlerai pas de toi dans mon autobiographie. Dix-sept ans. Et demi. Tu insistes sur la demie. Très fière d'avoir échappé à la vigilance du gorille de service, avec tes fausses cartes et ton maquillage presque discret. Dix-sept printemps et des rêves raccommodés, encore assez de naïveté pour croire qu'en te laissant tomber, ivre et molle, sur une piste de danse, tu atterriras un jour, comme par miracle, dans les bras d'un prince charmant, et pas dans le lit d'un pauvre con qui veut seulement te trouer la peau. Remarque, je n'ai pas essayé de te détromper. Qui suis-je pour parler de morale?

Dix-sept ans et des poussières. Et le crâne farci des bêtises qu'on trouve dans un magazine pour filles, quelque part entre une recette de gâteau sans sucre et une entrevue avec la nouvelle égérie névrosée de Prada. Ces conneries dans des articles où des chroniqueuses involontairement comiques entendent expliquer la psychologie masculine en mille mots. Alors qu'assez souvent, quoiqu'ils feignent le contraire, les hommes, autant que les femmes, assurément, ne comprennent pas eux-mêmes ce qui se passe entre leurs deux oreilles. Désolé mais c'est ainsi. Par exemple, en ce moment, pendant que je regarde ton cou fragile comme le silence, je me demande quelle musique ça peut donner, du cartilage qui craque sous les doigts. Tu ne devrais pas faire confiance aux inconnus qui cuisineraient volontiers des hors-d'œuvre avec la peau de tes fesses.

\* \* \*

Pour ne pas succomber au néant, tu ouvriras grand. Les jambes écartées mais le cœur en exil. On baisera au rythme du XXI$^e$ siècle. L'intensité du corps à corps n'aura d'égale que sa brièveté. Tu jouiras avec de petits hoquets de chihuahua. Je laisserai fuir toute ma poésie. Ce sera ça, eh oui! Déjà… Fin de la fable. On essaiera bien d'échanger quelques paroles lasses, embarrassées et, surtout, vides de sens, avant de se taire. S'amorcera, alors, la dérive des continents. Côte à côte, on deviendra, l'un pour l'autre, une présence qui n'en est pas tout à fait une. Tu comprendras pourquoi j'ai encore un lit simple : pour qu'on ne s'y attarde pas toute la nuit. Assaillie de regrets banals, tu sortiras sans cérémonie, le ventre plein de papillons morts. Et tes talons écorcheront le trottoir qui mène à l'horizon sale.

Convaincu, une fois de plus, qu'il n'existe pas de solitude complémentaire à la nôtre, que toutes nos tentatives pour fuir sont des détours dérisoires, je rirai. D'un rire fou. D'un rire faux. Parce que je ne sais plus pleurer. Et je resterai là, entre les draps, dans ta chaleur qui disparaîtra trop vite. J'y resterai longtemps, contemplant mes murs sans photos, sans affiches ni calendrier, ces cloisons aussi blanches que mes nuits, écrans vierges sur lesquels je peux projeter mes images, toutes les filles folles, fantomatiques et sans visage, qui crient dans ma tête. Ces filles que tu rejoindras bientôt. Des filles qui hurlent qu'elles me haïssent, qui parlent sans réfléchir, qui ne savent pas ce qu'elles veulent. Qui me ressemblent un peu trop, finalement.

Pour l'instant, comme au ralenti, sans doute distraite par les mises en garde de ton psy, tu enlèves ce chandail à manches longues que tu portes pour cacher les cicatrices sur tes poignets.

Je fais semblant de n'avoir rien vu.

## Béluga

Trois jours de tempête. Jasmin observe les flocons s'écraser sur la fenêtre du salon. La neige couvre le balcon. Sa voiture est ensevelie. Il n'ira pas pelleter. Trente-cinq ans. Fatigué comme s'il en avait le triple. Il éteint sa cigarette et en allume tout de suite une autre. Il fait des ronds de fumée. Un des rares plaisirs qu'il lui reste, fumer. Un passe-temps à temps plein.

Sa mère vient de partir. Chacune de ses visites l'épuise. Elle pose beaucoup trop de questions. «Ça va le moral? Tu prends soin de toi? Tu manges bien? Tu dors assez? Tu prends l'air? Tu manques de rien?» À ces questions Jasmin répond par oui ou par non, sans entrer dans les détails, pour ne pas alimenter l'interrogatoire. Il regarde sa mère s'activer. Elle ouvre les fenêtres, vide les cendriers, nettoie tout, sans réfléchir. Une habitude. Ça la désennuie. C'est aussi sa façon de lui montrer qu'elle l'aime. Aujourd'hui, elle lui a fait remarquer que son appartement mériterait d'être repeint. Au fil des années, imperceptiblement, les murs sont passés du blanc au jaune, puis du jaune au brun. Il n'a pas vu en quoi cela constituait un problème. Pour lui, la plupart des couleurs ne sont que différentes teintes de gris. Avant de descendre les escaliers avec le bac rempli de linge sale, qu'elle rapportera propre la semaine prochaine, sa mère a changé le mois du calendrier près de la porte.

Déjà l'heure du souper. Le réfrigérateur est vide. Jasmin met au four un pâté que sa mère lui a préparé. Il n'a pas très faim. Il allume une autre cigarette. Il s'assoit et regarde les chaises autour de la table de cuisine. Il songe à s'en débarrasser. Elles encombrent la pièce. De toute façon, il ne reçoit jamais de visite. Ses quelques rares amis, quand les a-t-il vus la dernière fois? Combien de temps faut-il pour que vos amis vous oublient? Ils ne lui téléphonent pas; il ne leur téléphone plus. Toujours cette impression de déranger… Personne ne veut entendre ses histoires, il le sait. Personne sauf sa mère. Mais ça ne compte pas : c'est sa mère. Le psychiatre, lui, est obligé d'écouter ses problèmes : il fait son travail. Il consulte le dossier, pose quelques questions, prend des notes, hoche la tête, « Hmm, oui, c'est bien. » Il ajuste parfois la médication, fixe le prochain rendez-vous. Et au revoir. Et au suivant.

Jasmin ne travaille plus, ça ne lui manque pas. Il détestait cette usine de fenêtres. Un entrepôt bruyant, à l'air sec. Mal éclairé. Un entrepôt de fenêtres dépourvu de fenêtres. Pour oublier la journée, il accompagnait parfois ses collègues au bar du coin. Des gars corrects, sans plus. Ils jouaient au billard, buvaient de la bière, commentaient la dernière partie de hockey. Jasmin restait toujours un peu en retrait. Un soir où il avait bu plus que d'habitude, il avait senti l'angoisse le gagner. Une angoisse bien connue, qui pourtant ne l'avait jamais saisi avec autant d'intensité. Le sentiment diffus de ne pas appartenir à ce monde, d'être un étranger dans son propre corps, un ennemi pour lui-même. L'impossibilité douloureuse de définir avec exactitude la cause de ce malaise. Une peur qui fait dévier le cours normal des pensées. Sans saluer quiconque, il avait enfilé son manteau et s'était précipité vers la sortie.

De retour chez lui, il s'était déshabillé devant le miroir de la salle de bain. Voici l'image qui s'était d'emblée imposée à son esprit : il ressemblait à un béluga. Il n'était pas un homme, mais bien un béluga. Il avait examiné son reflet avec une perplexité croissante. Crâne chauve et saillant, yeux inexpressifs enfoncés dans les orbites ; torse et ventre glabres, d'une blancheur presque phosphorescente ; peau lisse, d'aspect gélatineux. Une observation minutieuse confirmait l'impression de départ, cruellement juste : il possédait toutes les caractéristiques du cétacé en voie d'extinction. Un sentiment de dégoût l'avait envahi, un frisson avait remonté son échine avant de mourir sur sa nuque. Pourquoi s'était-il donc livré à cet exercice de lucidité ? Quel résultat pouvait-il attendre d'une confrontation avec un miroir ? D'ordinaire, il les fuyait autant que possible, vivant sans se voir, tâchant d'oublier chaque jour ce corps qu'il ne reconnaissait pas comme le sien.

Jasmin avait avalé une poignée d'analgésiques. Dans l'espoir que cette diversion lui permettrait de se vider l'esprit, il avait allumé la télévision, réglant le volume au maximum. Un duo d'humoristes s'adressait à lui, sans prononcer son nom, bien entendu, mais leurs attaques le visaient, aucun doute. Et le public riait et applaudissait ces bouffons et leur méchanceté. Qu'est-ce qu'ils avaient tous à se foutre de sa gueule ? Il avait jeté sa télévision en bas de son balcon. L'appareil s'était écrasé sur l'asphalte du stationnement dans une gerbe d'éclats de verre. Le voisin d'en bas l'avait traité d'ostie de malade mental. Jasmin avait empli la baignoire avant d'y noyer son chat. Puis il avait essayé de dormir. En vain. Mal de ventre, mal de tête. Toutes les positions étaient inconfortables, sa peau démangeait. Dès qu'il fermait les yeux, il voyait des étincelles. Lorsqu'il les ouvrait, des ombres dansaient sur les murs. Il ne savait plus quoi faire, où se mettre. Son père avait été bête au téléphone : « Es-tu après virer fou ? As-tu vu l'heure ? Tu rappelleras demain ! »

Il était sorti avec l'intention de se jeter dans le fleuve.

On l'avait trouvé le lendemain matin dans le vestiaire de l'usine, sur le plancher de béton, entre deux rangées de casiers, nu, les bras en croix, les yeux fixes. Il tremblait.

Admis d'urgence à l'hôpital. Vacances forcées au Pavillon X. Il en avait bien besoin.

\*   \*   \*

Maintenant, ça va. À peu près, oui. Quand on lui pose la question, il répond comme tout le monde : « Ça va. » Tant qu'il prendra ses pilules, il paraît que ça devrait aller, malgré les effets secondaires. Ça devrait aller. Il ne peut pas dire qu'il se sent très bien, ni vraiment beaucoup mieux. En fait, il ne sent plus grand-chose. Il a pris congé de lui-même. Il s'est acheté une nouvelle télévision, une petite, d'occasion. Allumée en permanence, répandant sa clarté intermittente dans le salon, elle lui parle d'un monde qui existe au-delà de ses murs.

# Femmes casse-têtes

Dans le cirque de la drague, je suis le clown qui mange des claques sur la gueule. Aussi ai-je décidé de quitter la piste, non sans dépit. Il faut bien l'avouer, je suis un piètre séducteur, paralysé par toutes ces projections négatives que j'élabore dans ma boîte noire. Ce qui tue à tout coup, c'est cette espèce de maladie : l'imagination qui se détraque et sécrète tant de scénarios dignes des pires films d'horreur de série B.

M'extirper de ma torpeur pour adresser la parole à cette fille, là-bas, au bar, en plongeant bien mes yeux dans les siens, ça oui, je le pourrais. J'ajusterais ma manœuvre au fur et à mesure, la conversation se tiendrait, mais soudain, un type X, James ou John – musclosaure gonflé de jalousie nocive qui aurait déjà prévu de clore la soirée avec la blondine –, me fracasserait le crâne sur le comptoir. Et CRAC! Fendu d'ici à là, le nez en miettes et deux dents qui flottent, vous voyez le tableau. Sans trop d'effort, le Cro-Magnon en question me ferait une clé de bras et me projetterait par-dessus la terrasse. Adieu, veau, vache, cochon! Désorienté, je zigzaguerais sur le trottoir pendant un moment avant qu'un bon samaritain m'aide à me rendre à l'hôpital. Croupir à l'urgence un vendredi soir, avec un bout de cerveau à l'air libre et le visage en bouillie? Non merci.

Et si je me bottais le cul pour aborder cette fille, celle qui a un sac à main en peau de crocodile? Il se pourrait qu'elle m'asperge le visage d'acide sulfurique... Il faut comprendre! Aujourd'hui, les femmes subissent les assauts répétés de tant de moustiques qu'elles ne se contentent plus de vulgaire poivre de Cayenne, l'acide étant un insectifuge ô combien plus efficace. Et mon visage de fondre goutte à goutte sur le plancher, comme le vilain dans *Robocop 1*. Plongé dans l'obscurité, j'avancerais sans repères, traversant les rues au milieu d'un concert de klaxons et de hurlements d'enfants. Mes pas me mèneraient dans une forêt où, tel un somnambule, je me heurterais à tous les troncs, m'écorcherais les mollets sur les ronces et disparaîtrais enfin, englouti par le marais de l'éternel oubli.

Mais il se pourrait aussi qu'elle ne me trouve pas trop désagréable. Qu'on dérive jusque dans son lit et qu'on fasse ce que les adultes font. Plusieurs fois de suite. Pourquoi pas ? Ce sont des choses qui arrivent, même aux plus malchanceux... Le lendemain matin, on irait manger des crêpes en se jurant de ne rien se promettre... N'importe quoi, bien entendu... On se reverrait le soir même, et c'est là qu'elle me pincerait le nerf du cœur. Ça fait bien mal, ça t'arrache deux ou trois côtes au passage et ça résonne jusque dans la tête. Elle tirerait fort et ça ferait un nœud en dedans, comme dans une pelote de laine tout emmêlée. Dès lors, elle me tiendrait en laisse. Je pourrais marcher des milles à quatre pattes en espérant qu'elle daignerait m'accorder une caresse. Fidèle et docile, je serais prêt à l'aimer pour la vie, même lorsqu'elle serait devenue une vieille vache au système laitier affaissé, avec des humeurs d'holocauste du matin au soir. Je pourrais faire ça, moi ; elle, non. Mes irrépressibles envies de lui renifler le derrière, après l'avoir fait rire, finiraient par la mettre en colère. Un jour, elle en aurait assez ; elle claquerait des doigts et dirait : « Bon toutou ! Maintenant, fais le mort. » Je m'exécuterais sans rechigner et elle m'arracherait la patate en tirant un bon coup, sans autre état d'âme qu'un vague ennui.

Vous trouvez ça drôle, peut-être ? Eh bien, je vous emmerde. Mettez-vous un peu à ma place. La machine à cauchemars fonctionnera toute la soirée, sans discontinuer, les histoires se bousculeront. Pas de pause publicitaire dans mon cinéma intérieur : je peux me triturer les méninges durant des heures, jusqu'à l'épuisement. L'idée que l'un de ces scénarios se réalise me cloue dans l'expectative d'une catastrophe. Et je reste paralysé. Je les épie de loin, ces beautés arrogantes, m'efforce de me souvenir de tous les détails de leurs figures pour pouvoir plus tard jouer avec eux, reconstituer mille têtes différentes en combinant les traits de toutes celles que j'ai déconstruites, à défaut de pouvoir simplement prendre leur visage dans mes mains.

Ce sont des inconnues au sourire sérieux qui colmatent comme elles peuvent leurs brèches invisibles. Des beautés complexes qui jonglent avec des points d'interrogation. D'étranges étrangères que j'aime de biais, toutes fascinantes, parce qu'elles ne correspondront jamais exactement à l'idée que je me fais d'elles. Des princesses ivres, tatouées aux articulations, *couper le long de la ligne pointillée,* en pièces détachées, disséquées vivantes et recousues tant bien que mal. Des femmes casse-têtes.

## L'hypothèse du vide

Le cancer, avec ses millions de pinces invisibles, s'agrippait à tes organes, la maladie inexorable se ramifiant en métastases dans ton foie, ta prostate, tes intestins, jusque dans ton cerveau, partout. Une vérité qu'on ne pouvait qu'énoncer à mots voilés, papa et moi, pendant qu'on se perdait de plus en plus dans le dédale de corridors de l'hôpital. On est arrivés en retard. Tu t'es levé de ton lit et, t'appuyant sur ta marchette, tu t'es traîné les pieds pour venir nous accueillir. On a échangé des banalités. Malaise. Vraiment pénible de te voir aussi amoché, Maurice – et je t'ai souvent vu en mauvais état. Tes rides s'étaient accentuées. Ton dos semblait plus osseux que jamais, les vertèbres y dessinant un relief en pointes. Tes yeux creux ne nous lâchaient pas. Tu as laissé échapper des paquets de syllabes plus ou moins cohérents avant de replonger dans le silence. Tu semblais résigné à la décrépitude. La machine déraillait ferme, même si tu n'étais pas si vieux – même pas cinquante ans. De toute évidence, la guérison relevait de l'utopie. C'est pourquoi papa avait décidé de t'emmener chez nous. Là, au moins, tu pourrais mourir avec un minimum de dignité, loin des relents de la maladie des autres.

Je n'ai compris que plus tard, beaucoup plus tard, l'amitié sans conditions qui vous liait, toi et papa, lorsqu'il a évoqué vos nuits partagées dans le froid, les beuveries dans les recoins d'un quartier dangereux, les batailles à coups de tessons de bouteille, les blessures arrosées d'alcool à friction et pansées avec des guenilles. Vous étiez solidaires dans la détresse, l'errance, la mendicité. Il n'a pu me confier ça qu'après ta mort, et encore, il arrachait avec peine ces détails de sa mémoire, comme si une pudeur mystérieuse l'empêchait d'évoquer ce qui n'aurait jamais dû arriver.

Il fallait que tu avales une grosse cuillère de sirop de morphine quand tes douleurs devenaient insupportables. Quand tu te tordais comme si un démon te trifouillait les entrailles avec des pinces chauffées à blanc. La première fois, je m'en souviens, on a roulé ton fauteuil en face de la porte-fenêtre qui donnait sur la rivière, tu as pris ta dose, l'effet était fulgurant. J'avais l'impression que tu avais sombré dans le coma. Complètement immobile, insensible à tout. Aucune réaction lorsque j'ai passé ma main devant tes yeux. Je me suis assis à côté de toi. Le silence se peuplait de conjectures. Je me suis demandé où tu pouvais bien être. Où? Dans un trou noir? Au seuil du purgatoire? À la table du Grand Manitou? Dans un rêve en couleurs où tu séjournais dans les bras, entre les jambes de toutes ces femmes qui t'avaient repoussé? Nulle part, peut-être? J'ai médité là-dessus, trop longtemps, et quand tu es sorti des vapes, je n'ai pas osé te poser la question, de peur que tu ne puisses me donner de réponse.

Tu te desséchais à vue d'œil, comme une plante laissée dans un sous-sol dépourvu de clarté. Un jour, on s'est aperçus que tu avais perdu toute forme d'autonomie. Il fallait tout de même te laver. Papa a décidé de te prodiguer les soins nécessaires. J'ai voulu assister à ça, malgré la répugnance que ça m'inspirait. Il t'a déshabillé, t'a étendu sur le lit, tu as bu une gorgée de ton sirop. Puis tu es parti, nous laissant seuls avec ton corps décharné. Voilà tout ce que tu possédais, ton corps, et tu ne l'avais pas ménagé. Il portait les traces de tous les abus, de toutes les négligences. Ta peau ressemblait à un vieux parchemin fripé sur lequel on pouvait déchiffrer ta vie livrée à l'abandon. Des cicatrices boursouflées striaient tes jambes. Sur ton bras droit, le tatouage de la Vierge Marie se perdait dans les plis et le poil gris. Ici et là, des bleus, des bosses. Et cette odeur rance qu'aucun savon, qu'aucun frottage n'aurait pu faire disparaître, cette odeur qui me donnait mal au cœur. La même qui collait aux murs de ta cambuse où j'entrais à reculons, cette bicoque rabougrie que tu appelais ta maison, où la toilette était presque toujours bouchée. Où tu te soûlais seul en grillant à la chaîne ces cigarettes que tu roulais toi-même de tes longs doigts jaunes. Il y avait aussi, dans ce mélange, l'odeur de ces fermes où tu avais travaillé. L'humidité de toutes ces fosses que tu avais curées. L'odeur des animaux dont tu prenais soin comme s'ils étaient ta seule vraie famille, et encore celle des fenils où tu t'étais masturbé en imaginant toutes ces fentes que tu ne visiterais jamais. J'ai dû finir de te laver parce que papa est parti. Je crois qu'il est allé pleurer dehors.

Plus tard, ce soir-là, tu avais le cœur aux confidences. Tu m'as raconté, d'une voix traînante, que ton père avait été foudroyé par une crise cardiaque, dans tes bras, pendant que la forêt où vous bûchiez ensemble était dévorée par un incendie. Que ta mère, une vraie sauvage, s'était enfuie sans prévenir et n'avait plus jamais redonné signe de vie. Que tes frères et sœurs t'avaient renié, tous, que tu n'existais plus pour eux. Ces aveux tristes sont sortis d'un coup, pêle-mêle. Tu ne pleurais pas, tu ne pleurais plus, déjà ailleurs, prêt pour l'enjambée inévitable. Tu ne remontais plus ta montre, le temps était un problème qui ne te concernait plus. Tu as marqué une pause, l'air grave, puis tu m'as regardé droit dans les yeux et, d'une voix caverneuse que je ne te connaissais pas, tu m'as dit : « La vie, c'est brun comme un gros biscuit de marde avec quelques petites pépites de chocolat. Quand tu tombes sur un morceau de chocolat, t'es mieux de le téter longtemps, parce que… tu sais ce qui t'attend après. »

Et au milieu de la nuit, tu t'es étouffé avec ton biscuit. Je t'ai retrouvé le lendemain matin, sur le plancher de la salle de bain, le visage tourné vers la fenêtre, dans une auréole de sang, la bouche crispée sur un dernier cri. Ton corps, là, comme une pelure sèche sur le carrelage. La seule idée qui m'est venue, c'était de te toucher, comme si j'avais pu, en te secouant, t'extirper d'un rêve dans lequel tu t'attardais. J'ai grelotté en sentant ta froideur.

Un coup de massue dans le front, mon premier cadavre. Puisqu'il en faut bien un. Premier vrai cadavre, si peu semblable à tous ces autres morts menteurs dans leurs costumes de sérénité, paupières closes, lèvres cousues, mains croisées, prêts pour la mascarade, le défilé des vivants, les bouquets de condoléances. Toi, Maurice, tu as représenté la mort dans toute sa nudité scandaleuse. J'aurais voulu pleurer, mais les larmes ne montaient pas. Le chagrin restait pris à l'intérieur, ça brûlait. J'aurais préféré être égoïste, ne rien ressentir, et j'en avais honte. Je n'entendais que mon sang qui battait dans mes tempes, restant là à observer tes omoplates qui saillaient sous la peau comme deux ailes racornies. Et tes yeux entrouverts sur l'hypothèse du vide.

# Manque d'oxygène

Il y a vingt-cinq ans, j'aurais manqué d'oxygène au cerveau à cause d'un cordon ombilical entortillé autour de mon cou. Quelques secondes, pas plus. Paraît que c'est suffisant pour qu'un enfant soit lent. En tout cas, les gens l'ont toujours cru. Maman l'affirmait avec tellement de certitude. Je ne l'ai pas contredite. J'ai joué le rôle du gars *pas tout à fait là*. Assez simple : il suffit de fixer un point imaginaire sur le mur, de rire pour rien et, surtout, quand on vous adresse la parole, de pencher la tête sur le côté et de répondre un peu de travers. Il n'en faut pas plus pour qu'on vous prenne pour un gentil débile. Personne ne demande quoi que ce soit aux idiots. Les gens hochent la tête, se montrent compréhensifs, cachant avec peine un certain malaise. Ensuite, l'idiot devient transparent : il n'existe plus vraiment. Comme s'il habitait dans une dimension parallèle ou appartenait à une autre espèce. Il n'a pas trop de comptes à rendre, on lui fiche la paix. Ça m'arrangeait bien. Mais je ne pouvais pas vivre aux crochets de maman toute ma vie. Je le savais. Maman, elle chialait tout le temps. Ses conneries, elle me les a répétées si souvent que j'ai presque fini par la croire. « Tu vas mal finir, je te le dis! En tout cas, t'es mal parti en maudit! Suicidaire à la naissance! T'as fait exprès de te pendre avec ton cordon juste pour me faire chier? » Pourtant, qui s'est pendu dans sa chambre sans même laisser une lettre d'adieu?

Mon père, lui, je ne l'ai pas connu. Je connais juste son nom : Maurice. Il s'est éclipsé quand il a su que maman était enceinte. Voilà tout ce que j'en sais. Quand je posais des questions à propos de lui, maman se mettait à gueuler, elle fermait les stores et restait seule dans le salon à pleurer. J'ai dû me résigner à rester dans l'ignorance. C'est peut-être mieux comme ça, au fond. Maman a emporté son secret avec elle. Je lui pardonne. Elle avait son lot de problèmes : les médicaments et les effets secondaires, les somnifères et les cauchemars qui la terrorisaient et lui faisaient parfois pousser de longs hurlements au milieu de la nuit. Sans oublier les voix dans sa tête. Quand ces voix-là sortaient par sa bouche, je ne comprenais pas toujours ce qu'elle disait, ou ce qu'elle voulait dire au juste. De toute façon, je ne l'écoutais plus. Après sa mort, il a bien fallu que je me débrouille seul. J'ai pleuré, ça oui. Je ne pensais pas l'aimer autant. Je pleurais surtout la nuit, quand je me réveillais en sueur après ce cauchemar : maman qui se balance au bout d'une corde, suspendue au plafond de la cuisine. Elle a dans la bouche une ampoule électrique qui éclaire son visage bleu. Je vois bien qu'elle voudrait me parler de mon père, mais l'ampoule l'en empêche. Ses yeux tombent dans mon bol de céréales, sa peau glisse comme un vêtement trop grand et ses tripes déboulent sur la table avec un bruit visqueux. Couvert de sang, je lève les yeux : il ne reste plus qu'un squelette. L'ampoule grille. Noirceur totale. J'essaie de sortir, mais la porte a disparu. Puis un éclat de rire, le rire de maman qui semble exploser à l'intérieur de ma tête, que je tiens à deux mains tant j'ai mal. Et c'est là que je me réveillais, les jambes molles et le cœur qui pompe comme si j'avais calé quinze cafés. J'ai fait ce rêve pendant trois mois environ. Puis ça a cessé.

Maintenant, ça va mieux. Beaucoup mieux. Je mène une vie calme. Normale. Mon petit logement me plaît. Bon, ce n'est pas un super appartement avec vue sur le fleuve. Plutôt un demi-sous-sol humide et mal insonorisé. Mes fenêtres donnent sur un entrepôt abandonné où les jeunes du coin viennent boire de la bière et préparer leurs mauvais coups. Ils ne me dérangent pas. Personne ne vient rôder près d'ici depuis que Destroy, le chien de mon voisin, monte la garde sous l'escalier de secours. On se demande qui, entre le chien et le maître, est le plus dangereux. Sam, quand il s'est aperçu que son doberman était fou, au lieu d'aller le porter à la fourrière ou de le faire euthanasier, comme tout le monde, il lui a fait couper la langue et l'a enchaîné derrière le bloc. Le pauvre animal s'étouffe avec sa chaîne et ses cris restent pris dans sa gorge. Il mange ses crottes, Sam ne le nourrit pas tous les jours. Maudit sadique. À lui aussi, il faudrait lui couper la langue pour qu'il arrête de gueuler comme un sauvage. Et on devrait lui couper le pénis en même temps, ça l'empêcherait de réveiller les voisins en pleine nuit. Quand il rentre soûl à trois heures et demie du matin, on croirait qu'il fend du bois dans sa chambre à coucher. Je me retiens d'appeler la police. S'il apprenait que je l'ai dénoncé, il me percerait. À l'abattoir où il travaille, il passe ses journées à tuer des animaux. Son cœur est mort. Je l'ai déjà vu foutre une raclée à l'autre voisin. Il lui a fracassé la tête sur une chaîne de trottoir. Le gars crachait ses dents. Je n'ai pas les moyens de me payer un dentier, moi. Je veux juste éviter les histoires de fous et vivre tranquille.

Il a bien fallu me trouver un emploi aussi. Pas d'expérience, peu de possibilités. C'est dans une pâtisserie familiale industrielle que j'ai abouti. Assistant-pâtissier chez Douceurs et gâteries. Mais je ne suis ni pâtissier ni assistant. Avec un couteau, je coupe des bandes dans une grande plaque de pâte sucrée. Des bandes qui se retrouvent autour d'un gâteau. Quelqu'un d'autre les pose, les bandes. Moi, je les coupe. Quand ma plaque est terminée, je recommence avec une autre, et encore une autre, et une autre encore, et ainsi de suite, toute la journée, du lundi au vendredi. Des heures d'ennui et de travail répétitif dans les odeurs de pâte et la chaleur des fours… Les gâteaux m'écœurent, j'ai trop le nez dedans. Mais aujourd'hui, j'en ai acheté un gros. Un anniversaire sans gâteau, c'est triste. Une fête seul aussi, c'est un peu triste.

Au travail, je ne me suis pas fait d'amis. Je fréquente peu mes voisins. Ce qui reste de ma famille, on n'en parle pas. J'essaie d'éviter les histoires de fous. Les gens de mon entourage sont tous plus ou moins fous. Alors j'évite simplement les gens. J'ai la paix, c'est au moins ça.

C'est une soirée ordinaire. Seul avec mes crampes d'estomac, sur le divan du salon. J'ai soufflé les vingt-cinq bougies d'un coup et fait mon vœu. Je vais aller acheter quelques billets de loto. Sans oser dire à la fille derrière le comptoir à quel point je la trouve jolie, même si elle ne sourit jamais.

## Dose d'humanité

Si elle a accepté de travailler dans ce restaurant, c'est par masochisme, nul doute. Il y en a qui s'emprisonnent dans des cloîtres. Certaines s'automutilent. D'autres deviennent, simplement, serveuses. Chacune expie quelque chose, se punit comme elle peut. Depuis trois semaines aujourd'hui, à bout de souffle, victime des vapeurs de friture, elle slalome entre les tables de ce bistrot branché, les bras chargés d'assiettes trop lourdes, pour des clients souvent désagréables, à qui il ne vient jamais à l'esprit de dire « s'il vous plaît », et encore moins « merci », comme ce moustachu, par exemple, qui réclame plus de ketchup en recrachant un petit pois difforme. Il ne la regarde jamais dans les yeux, mais toujours plus bas. Le genre de sale qui laisse un kleenex plein de morve dans un fond de sauce brune et un pourboire dérisoire. Sourire, surtout. Respirer à fond. La journée ne fait que commencer.

Trois semaines. Déjà. Plus que suffisant pour lui donner la confirmation de sa misanthropie : les gens sont laids et stupides, et leurs fonctions organiques, un outrage supplémentaire à la beauté. Elle les regarde se goinfrer, ces tristes mammifères, dans la lumière du matin, et a honte d'appartenir à la même espèce qu'eux.

Le va-et-vient des ustensiles dans toutes ces bouches ouvertes et les langues glissant sur les lèvres, d'une commissure à l'autre, le travail des mâchoires, les tendons et les os à demi mâchés, déposés sur le napperon – frissons de dégoût –, la salive qui se mêle aux aliments et jaillit parfois en gerbes de postillons, les dents qui croquent et broient et déchirent, la déglutition bruyante, sans parler du reste, les opérations cachées, et pour cause : la digestion – cocktail d'enzymes, brassage de pâtes – et sa conséquence naturelle, l'horreur intestinale, jusqu'à la, jusqu'au… Enfin, tout ce processus, d'un orifice à l'autre, est objectivement dégueulasse : quel hypocrite bourré de mauvaise foi ne l'admet pas ? Qu'on vienne lui affirmer sans rire que la nature est parfaite ! Conneries ! Les gens, avec leurs centaines de mètres de boyaux visqueux enfouis dans leurs ventres, sont des usines à merde. Point. *Des usines à merde.* Et elle leur fournit la matière première.

Avec le naturel d'une actrice qui retourne dans sa loge pendant l'entracte, elle se rend aux toilettes, verrouille la porte et s'enfonce deux doigts dans la gorge. Le vomissement salvateur fuse. Soulagement trop bref.

Puis elle tire la chasse d'eau, se lave les mains.

Se regarde dans le miroir sans s'y reconnaître.

## Un grand-père au conditionnel

J'aurais aimé avoir un grand-père. Un vrai. Qui m'aurait pris sur ses genoux pour m'expliquer un peu c'est quoi la vie. Il m'aurait parlé des femmes en me faisant des clins d'œil. Le vieux en aurait eu long à dire à son confesseur à propos des péchés de la chair ! Ma grand-mère, il l'aurait aimée lorsqu'elle se penchait pour sortir un gâteau du four. Il m'aurait regardé reluquer les petites filles comme un mystère à résoudre, m'aurait donné des conseils. Il se serait soucié de sa descendance et aurait craint que je sois homosexuel.

Il aurait joué dur avec moi, trop dur, parfois, sans s'excuser : « Va voir grand-m'man, là, pis pleure pas... t'es un homme. » Un grand-père brusque, brutal, peut-être, mais pas par méchanceté. Une façon paysanne, détournée, de m'exprimer sa tendresse.

Pour que je puisse cueillir des pommes sans m'écorcher les bras sur l'écorce, il m'aurait fait la courte échelle. Me surveillant du coin de l'œil, il m'aurait empêché de dévaler la pente avec mon vélo, de percuter le tronc du chêne et de me taper une commotion cérébrale. Il m'aurait averti que les pommes trop vertes, c'est dangereux, qu'on peut même en mourir.

Un grand-père qui joue de l'accordéon dans les réveillons en tapant du pied comme un possédé, qui traîne une petite flasque de gin dans la poche intérieure de sa veste. Un grand-père déguisé en père Noël, avec la barbe de travers pis les yeux pas tout à fait en face des trous, qui serait venu me réveiller, à minuit, avec son haleine de robine, pour me chuchoter à l'oreille : « T'es passé tout drette, ti-gars, t'auras pas de cadeaux cette année. » Il aurait ri de mon affolement avant de me donner le premier cadeau, le plus gros. Il se serait intéressé à mes goûts au lieu de me décevoir chaque année avec une carte triste, qu'il oubliait parfois de signer, et un chandail laid aux couleurs fades, qu'il aurait pu acheter au comptoir des infortunés et qui révélait sa pauvreté de cœur. Voilà tout ce qu'il pouvait offrir à son unique petit-fils. Ça et une étreinte frileuse, deux becs sur les joues, en toute hâte et pour la forme, avec la politesse sèche de celui qui souhaite chasser un visiteur importun.

J'aurais aimé qu'un grand-père me prouve que j'existe, comme devraient savoir le faire les grands-pères.

## Mal aux os

Il y a des soirs, tu vois, où je n'ai pas envie de baiser. Vraiment pas. Des soirs où je ne voudrais pas que ça se termine sur la table de la cuisine ou sur la sécheuse, dans un spasme et un cri. Des soirs où j'aurais seulement envie de poser ma tête sur tes genoux pour que tu me caresses les cheveux pendant que je te confie, d'une voix qui vient de loin, les rêves qui subsistent après le naufrage.

Ce n'est pas ce que tu attends de moi. Je ne suis pas celui que tu crois. Mais j'endosse cette armure depuis si longtemps qu'elle semble s'être soudée à ma peau. Si je parle fort et tout le temps, tu l'as peut-être remarqué, ce n'est pas nécessairement pour fabriquer du sens. C'est surtout par crainte du silence, et je suis prêt à tout pour ne pas l'affronter. Terrible, le silence. Je n'ai jamais su l'apprivoiser. Pour le tenir en échec, je parle, j'invente n'importe quoi, en équilibre instable sur la corde raide des mots, je te dis ce que tu veux entendre et même plus et ensuite les phrases se bousculent, je vais parler de mon petit frère autiste qui a une passion exclusive pour tout ce qui brûle, de mon chien qui mord les livreurs de pizza, de la façon dont mes parents se sont rencontrés chez un photographe homosexuel allemand, de la couleur de ton fard à paupières qui est tout à fait sublime, du dernier film de Lars von Trier, de l'étrange mode de reproduction des punaises et de la recette du bonheur selon un célèbre motivateur dont j'ai oublié le nom, et bla bla bla, la tirade va continuer jusqu'à ce qu'un envoyé du ciel vienne me foutre son poing sur la gueule, je vais parler à tort et à travers, jusqu'à l'extinction de voix, toujours en marge pourtant de ce qu'il faudrait dire : en dedans, c'est le délabrement. Même si j'ai retapé la façade, dans les murs, les poutres craquent, les fils se touchent, les fusibles sautent. En attendant le tremblement de terre, je me suis réfugié dans le cadre de porte. Certains soirs, je réfléchis tellement trop que tout s'embrouille et, même en me bouchant les oreilles, je n'entends plus mon cœur battre.

Ces soirs-là, j'aimerais t'embrasser, sans urgence ; oui, en ce moment, je voudrais te toucher et je voudrais que tu me touches, doucement et sans rien demander d'autre, rien de plus : c'est très humain, non ? Juste être là avec toi à l'horizontale, flotter à la surface des choses comme la mousse sur un cappuccino, les fenêtres fermées sur les rumeurs de la ville, le chauffage au maximum et la télé éteinte, nos jambes entremêlées sous les draps, et surtout, pas un mot ; toi et moi dans un silence qu'on apprend à habiter, ensemble.

Et c'est un désir tellement profond que j'en ai mal aux os.

## Ça semblait un bon gars

On connaît pas vraiment les gens. « Voyons donc ? On aurait jamais pensé ça de lui, ça semblait tellement un bon gars… », qu'ils radotent, aux nouvelles, les voisins ahuris, après le drame. Jamais : « Ça avait l'air d'un maudit malade ! Y pendait des chiens dans sa cour arrière pis y passait la tondeuse à quatre heures du matin ! Mon Dieu, je l'savais que c'te genre d'affaire-là finirait par arriver… » On croise des fous chaque jour dans la rue sans le savoir. On peut pas deviner.

\*   \*   \*

Je porte ma jupe, la rouge. Lui ? En veston. Assez chic. Des lunettes, genre intello. Je me sens gauche, naïve. Je tripe pas pantoute sur le restau-

rant. Guindé. « Pogné », comme aurait dit papa.
En tout cas… Simon, qu'il s'appelle. Bel homme.
Trente-deux ans, gentil et viril, pas guindé du tout.
Pourquoi il m'a invitée ici ? Le serveur a l'air bête,
les clients ont l'air snob, la musique est merdique.
Il y a une fissure dans le mur…

On a bu du bon vin, mangé sans se presser.
J'aime ses gestes, le son de sa voix. Simon parle
beaucoup de lui, ce qui m'évite de trop parler de
moi. On vient de finir le dessert. Mine de rien, il
glisse sa main sur ma cuisse, me décoche un clin
d'œil. Ça me plaît. Il va payer. Je vide ma coupe,
vérifie mon maquillage.

On sort. Dans la rue, il met son bras autour
de ma taille. Deux enfants se lancent la balle dans
un parc. On y entre. Je me laisse guider. On se
dirige vers un coin d'ombre. Du lierre s'agrippe
au mur de pierre.

Jusqu'à maintenant, c'est beau comme histoire, non ? On marche, l'air est frais, on se sent
bien. Tout peut arriver. Il chuchote :

— Je t'aime.

Je réagis pas. Il approche son visage du mien.
Je le repousse.

— Tu peux pas m'aimer… Quand on
connaît à peine quelqu'un, on ressent du désir.
Non ? L'amour, c'est autre chose.

C'est bien moi, ça : les beaux moments, il faut toujours que je sacre une bombe dedans.

— Écoute, Simon… Ça clique pas. Désolée. Je vais rentrer. Merci pour le souper.

Je l'embrasse sur la joue. Il a l'air triste. Les gars tristes m'émeuvent. Surtout quand c'est ma faute. Mais je me trompe, il est pas triste, plutôt fâché. Son regard s'assombrit. Son sourire a disparu, les enfants aussi. On est seuls. Je fais semblant de partir. Il me retient d'une poigne solide. Il me fait basculer sur le banc, baisse son pantalon, descend ma petite culotte, relève ma jupe puis s'enfonce en moi. Je résiste pas. Je ferme les yeux. Les fils se touchent dans ma tête. J'aime ça, pourtant… Je peux pas… Je voudrais lui demander d'arrêter… Le gifler… Le griffer… Mais je me laisse faire… Même s'il me fait mal… La douleur me rend vivante… J'ai envie de pleurer… La gorge, les dents, les poings serrés… Le cœur comme du plomb… Je pourrais être une autre… Je *devrais* être une autre… Je suis MOI ! Ce corps… Faut pas penser ! Il répète qu'il m'aime… Je m'en fous… Je veux juste qu'il me baise… Jusqu'à ce que je sente plus rien… Pour épuiser tous les soupirs… Pour oublier la vraie histoire… celle qui se passe avant, bien avant. Le sang bout dans mes veines quand j'y pense.

Je portais une jupe, beaucoup moins courte. Il y avait un banc, derrière la maison. Et papa, qui disait rien. Moi non plus, pas un mot. Ni pendant. Ni après. Ni jamais.

C'est pas aujourd'hui que ça va changer.

## Bourrasque

Il lui manque un soulier, comme Cendrillon. Elle est blonde, a des lèvres au dessin parfait, mais sa jupe rouge, dont le bas est déchiré, est un peu trop courte pour les livres de contes. Elle semble échappée d'un cauchemar. Cendrillon a choisi mon taxi en guise de carrosse. Elle entre avec une bourrasque, claque la porte et crie : « Roule ! N'importe où loin d'ici ! » Alors je roule. Elle fouille dans son sac à main, en renverse le contenu sur la banquette, le secoue. Soupire. Puis elle parle, parle, n'arrête plus de parler, incohérente. À travers ce magma de syllabes soudain je distingue quelques mots : « Arrête ! Je vais être malade ! » Je stationne la voiture. L'inconnue sort, fait quelques pas en titubant, s'accroupit et dégueule. La flaque s'étale sous la clarté plombée d'un lampadaire. La fille se redresse, lentement, puis se met à flanquer des coups de pied sur un bloc de béton. De tout petits coups d'abord, presque des effleurements. Peu à peu, sa rage s'amplifie. Et elle frappe, des pieds et des poings, s'épuise en gestes absurdes, avec une haine qui vient de loin et jaillit comme un geyser. Elle y met tout son cœur, s'attaquant à un ennemi aussi imperturbable qu'inoffensif. Et moi, je reste ici, les mains sur le volant, à regarder ce spectacle dans l'écran de mon pare-brise. Elle me rappelle le personnage du film *The Wall*, quand il s'acharne sur son mur, en inspecte les fissures, à la recherche d'une issue, s'y cogne en vain, se rendant compte qu'il est seul désormais. J'aurais envie de sortir pour la prendre dans mes bras et la rassurer : « Il y a quelqu'un de l'autre côté du mur… », mais qu'est-ce que j'en sais, après tout ? Alors je reste assis, en sécurité dans mon rôle d'observateur. Je regarde un film depuis trente ans et j'ai renoncé à le comprendre.

Il pleut maintenant. Ça l'a calmée, un peu. Elle s'assoit à l'arrière. Essoufflée. Le mascara coule sur ses joues. Elle allume une cigarette, les mains tremblantes, les jointures en sang.

— Où voulez-vous aller, madame ?

— Un hôpital, peut-être ? Psychiatrique, de préférence.

Elle s'esclaffe. Son rire a quelque chose d'hystérique. Je ne sais trop comment réagir.

— Ah ! Oublie ça.

Elle sort. Je la regarde s'éloigner sous l'orage. Elle enlève son unique soulier et le lance dans une vitrine. Une alarme retentit. Cendrillon s'enfuit en courant. Bientôt elle n'est plus qu'un point minuscule à l'horizon, avalé par la grisaille.

Je remets le compteur à zéro.

# Quelqu'un d'important

Si Arthur boit du rince-bouche ou de l'alcool à friction au milieu de la rue en délirant un peu trop fort, ce n'est pas parce qu'il est un ivrogne, mais plutôt parce qu'il veut que les gens du quartier le croient. S'il fouille dans les poubelles, porte les mêmes loques été comme hiver, déplie les mégots qu'il trouve dans les cendriers pour en inhaler la fumée âcre, ce n'est pas parce qu'il aime ça. Mais il doit tenir son rôle jusqu'au bout. Assumer son identité d'emprunt. Son personnage de clochard inoffensif. Surtout, ne pas éveiller les soupçons. Les vieilles dames désœuvrées ont l'œil vif et pour elles, le potinage est un sport, alors la moindre erreur et voilà, la ville au complet est au courant, Arthur est démasqué et tous ses plans tombent à l'eau. Ne jamais laisser croire qu'il est un autre. Quelqu'un d'important.

Avec d'infinies précautions, en effectuant cent détours pour s'assurer qu'il n'est pas suivi, Arthur se rend chaque soir à la cabine téléphonique perdue à l'autre bout de la ville, celle qui est couverte de graffitis et de crachats séchés. Cette cabine est le centre de ses opérations. Alors seulement Arthur se sent vivre. Il redevient lui-même : l'ange gardien invisible qui veille à ce que justice soit faite. La vraie justice, pas celle qui permet aux avocats de s'enrichir en faisant traîner les procès en longueur. Pas celle qui se contourne, se négocie, se contredit. La vraie justice, couleur sang. Ce n'est pas en enfilant une combinaison moulante de couleur criarde qu'il la fait triompher : Superman est ridicule. Arthur est plus rusé. Il dirige en fait une milice secrète qui fait régner l'ordre dans la ville. En tant que chef du réseau, il doit s'occuper de gérer toutes les activités. De grandes responsabilités : recruter des agents, déléguer des tâches, confier des missions. Ses hommes de main sont des professionnels. Sans laisser la moindre trace derrière eux, ils travaillent vite et bien. Arthur, pour sa part, ne s'expose jamais, n'agit pas directement. Pas par lâcheté, mais en tant que pilier de l'organisation, il doit se protéger. Tout repose sur ses épaules. S'il tombe, son équipe tombe avec lui. D'où sa prudence.

Sa justice à lui n'est pas aveugle. Aux quatre coins de la ville, des informateurs postés en permanence lui rapportent tout ce qui est important de savoir. Rien ne lui échappe. Par exemple, c'est grâce à Arthur que le pédophile récidiviste qui rôdait autour de l'école primaire a été tabassé à mort en pleine nuit et balancé dans un dépotoir. Et hop! Bon débarras. Idem pour ce petit pourri qui se faisait sucer par des adolescentes en échange d'un gramme ou deux de PCP. *Overdose* fatale dans une ruelle. Personne ne pleurera. Méthodes expéditives, arbitraires? Peu importe. Arthur sait qu'on ne rend pas service aux crapules en les traitant avec trop d'indulgence. Dans les prisons, bien loin de s'amender, les voyous s'endurcissent et partagent leurs techniques. Dans ces conditions, il est judicieux de les faire passer outre, sans faux états d'âme; ils seront traduits devant le seul vrai tribunal : Dieu seul peut juger en toute impartialité.

Il faut être solide. Puiser dans ses dernières réserves d'énergie. Manger le moins possible. Question de survie. Arthur a déjà failli être empoisonné. On ne peut même plus faire confiance aux bénévoles dans les soupes populaires. Ce maudit café au cyanure lui a donné des crampes d'estomac pendant trois jours. Encore heureux qu'il n'ait bu qu'une seule gorgée de la mixture perfide. Depuis, il est constamment sur ses gardes et ne mangerait même pas les croûtes de pain que les vieilles lancent aux oiseaux dans le parc. Tout le monde est suspect. Chaque fenêtre peut cacher un poste d'observation, chaque coin de rue, une embuscade.

Parfois, il s'assoit sur un banc, prend sa tête brûlante entre ses mains et se demande s'il ne préférerait pas, après tout, retourner à la vie normale qu'il menait avant. Petite vie sans trop de rebondissements. Il pourrait revenir à la maison. Se réconcilier avec sa femme, prendre soin de ses enfants, inviter des amis la fin de semaine, faire des burgers sur le barbecue. Mais non, impossible de revenir en arrière. Il a trop d'ennemis qui pourraient mettre la sécurité de sa famille en péril. Et ne penser qu'à son bonheur individuel reviendrait à tolérer que le mal étende un peu plus, chaque jour, son ombre sur le monde, sans lui opposer la moindre résistance. Les conspirations sont nombreuses et il y a tant de réseaux à démanteler... Il faut voir grand. Tôt ou tard, il triomphera et son travail sera récompensé. Il a déjà commencé à rédiger ses mémoires et le discours qu'il prononcera quand les universités lui décerneront des doctorats *honoris causa.*

Le Nobel de la paix pour l'ensemble de son œuvre, bien entendu, il ne pourra pas le refuser.

## Chagrin vague des nuits sans sommeil

Sournoise, la transition. Un glissement sur plusieurs années, en fait. Mais il me semble que je me suis réveillé un matin, adulte, avec des responsabilités qui me dépassent, une singulière difficulté à être et, surtout, vidé d'une substance précieuse que je peine pourtant à identifier. Pénible impression que les « premières fois » sont plutôt derrière que devant. Que certains horizons se verrouillent. J'encaisse le choc avec le courage de circonstance qui sied quand on découvre que les occasions de fuir diminuent.

Je me rase. Mes gestes sont lents. Des souvenirs ressurgissent, malgré moi, du fond de l'enfance. J'aimais regarder mon père se faire la barbe puis coller de petits bouts de papier de toilette sur les coupures. J'aimais voir son visage se transformer, voir son vrai visage. Ses traits sont désormais les miens. C'est lui que je vois dans le miroir de ma salle de bain. Lui, à trente ans. Je suis devenu mon père. Et mon père est devenu un homme usé par la révolte. Je ne veux pas raconter son histoire. Pas tout de suite. Quand j'essaie de la raconter, je mens. J'emprunte mille détours. D'instinct. Sinon, c'est la boule. Qui brûle en dedans. Les larmes qui ne coulent pas. Le malaise difficile à réprimer.

L'odeur du café se répand dans l'appartement. Chagrin vague des nuits sans sommeil. J'observe ma compagne. Endormie, nue et belle d'abandon. Je me retiens de la toucher, de peur de la réveiller. Je veux qu'elle me raconte ses rêves. Silencieux dans la pénombre, je mesure ma chance. Puis je repense aux femmes d'avant. Elles ne sont pas tellement nombreuses, celles que j'ai vraiment aimées. Elles m'ont laissé des lettres. Elles ont prononcé des paroles que j'ai oubliées. Elles sont loin maintenant.

## Où les épaves capitulent

L'histoire démarrerait sur les chapeaux de roues, sur une route de terre cahoteuse qui met une suspension à rude épreuve. Avec elle sur le siège du passager, ma main glissée entre ses cuisses. La femme de ma vie ! Et pas rien que pour une nuit. On trouverait une vieille grange pour baiser, les genoux dans la paille. On ferait l'amour comme si l'apocalypse devait survenir le lendemain. Elle aurait le feu au cul et les seins comme deux soleils jumeaux, mon incandescente, dangereusement inflammable. Je la frotterais si bien qu'elle finirait par incendier le bâtiment. Imaginez le fermier qui s'arrache les cheveux, au petit matin, en constatant l'ampleur des dégâts ! Dans la plaine, un monceau de cendres balayées par le vent.

On serait déjà loin. Elle accepterait de me suivre dans un pays qui conviendrait mieux à sa nature : on irait se trouver une planque quelque part sous le soleil du Mexique. Bon, d'accord, je devrais flinguer un ou deux flics sur la route. Et quelques témoins gênants aussi. Les désagréments du voyage, quoi.

Et on roulerait des jours entiers sur le long ruban de bitume qui mène au Mexique. Ah... le Mexique ! Richesse facile ! Un paradis ici-bas pour les crapules de notre espèce ! Bien entendu, c'est moi qui m'acquitterais des sales besognes. D'abord, buter les principaux proxénètes de la région pour leur piquer leur territoire. Les affaires prospéreraient rapidement, je saurais me lier aux gros bonnets locaux.

Au fil des années, je construirais un domaine ceint de clôtures barbelées, avec des sentinelles armées en faction vingt-quatre heures sur vingt-quatre. Il faudrait bien protéger ma cave à vin, pleine à craquer de grands crus de collection tellement vieux qu'ils sont imbuvables. Je lui aménagerais, à ma belle flamme, un petit cocon parfumé rempli de tapis persans et de toiles de maîtres. Un boudoir chic où elle pourrait se passer un barreau de chaise en m'attendant, pendant que j'irais louer les services de mes mignonnes à tous les pourris à la tête du pays. Je me lancerais peut-être même en politique, qui sait : à corrompu, corrompu et demi. D'ailleurs, je suis sûr qu'elle aimerait m'accompagner dans les soirées mondaines, obscènement somptueuses, organisées par le gratin de la racaille, pour exhiber ses robes au décolleté vertigineux et ses bagues serties de diamants gros comme mon gland. Elle ferait de l'œil au président, consentirait même à l'accompagner dans sa suite pour que je puisse étendre mon influence et jouir d'une immunité en béton. Pareille à la mienne, la conscience morale de ma femme serait extensible.

Vu que je serais très occupé, elle se taperait bien, à l'occasion, un des domestiques. Ou même sa femme de chambre, allez hop ! À grands coups de langue dans le sac à trésors ! J'aurais fait installer plusieurs caméras dans chaque pièce. Omniscient dans mon manoir tel Dieu lui-même, je serais au courant de tout ce qui s'y trame. Oh, pas de jalousies mesquines, hein ! Ça ne me dérangerait pas vraiment qu'elle me trompe avec Trucmuche de Tijuana, ses infidélités me feraient même plutôt bander. De toute façon, elle saurait que, régulièrement, dans l'exercice de mes fonctions, je devrais contrôler moi-même la qualité de mes nouvelles recrues.

De temps en temps, je ramènerais du travail à la maison. Une ou deux de ces belles filles aux grands yeux bruns dans notre chambre à coucher. On les attacherait aux montants du lit avant de s'acharner sur elles avec la langue, les dents, les doigts, ma queue, un cactus, elles jouiraient comme jamais elles n'ont joui, emplissant la chambre d'égosillements surréalistes. Elles crieraient *oui! non! encore!* et *maman!* On en serait bien émus. Ensuite, tandis qu'elles reprendraient leur souffle, j'irais chercher le tisonnier et le chalumeau pour les marquer au fer rouge : mes initiales, une lettre sur chaque fesse.

On aurait une cour intérieure pour contenir mon harem personnel, c'est décidé. Une centaine de femmes, pour commencer. Oh, elles seraient bien traitées, ça oui, à ce détail près : dans ses mauvaises journées, ma douce aurait le droit de sortir sur le balcon et de leur verser de l'huile bouillante dessus. Ou… tout ce qui pourrait lui passer par la tête. Petit défoulement autorisé. Mais elle y prendrait goût, la sadique, et je devrais lui imposer des limites, sinon, dans un accès de spleen matinal, elle finirait par mitrailler les odalisques et foutre le feu au sérail : « Dorénavant, tu te livreras à ce petit jeu seulement lorsque tu seras dans ton SPM, compris ? Le reste du temps, tu te contenteras de bastonner le majordome. Taillade la femme de ménage, si le cœur t'en dit, mais juste un peu, et tâche surtout de ne pas trop abîmer le jardinier, c'est le meilleur au nord de l'équateur. Quoi ? Chérie, fais pas cette moue ! » Puis je l'écouterais me reprocher que je ne l'écoute pas, que je suis toujours parti, que je l'aime moins qu'avant. S'ensuivrait une de ces engueulades incohérentes, avec des méchancetés assénées à dessein, des insultes qui volent bas, des aveux mensongers, des menaces et des larmes et des veines gonflées dans le cou, tout ce qu'il faut pour qu'une scène de ménage soit réussie. Elle me giflerait à tour de bras et, avant qu'elle ait pu attraper une chaise pour me la casser sur la tête, je la plaquerais contre le mur pour l'embrasser à pleine bouche, pas pour lui fermer la gueule, non, seulement parce que j'en aurais envie, envoûté soudain, comme au premier jour, par sa rage si semblable à la mienne. La prise de bec se terminerait à l'horizontale, entre les draps, dans la musique des excuses chuchotées et des promesses qu'on ne saurait tenir. Ça finirait au lit où, comme chacun sait, bien des problèmes sont résolus, ne serait-ce que pour une nuit.

*    *    *

Les années filent comme des balles de mitraillette. *Fast forward.* Retraite bien méritée. Nous deux, seuls, en vacances perpétuelles sur une plage de carte postale, vautrés dans les ressacs, léchés par les vagues, ivres de soleil et de tequila. Sourds aux émeutes qui grondent dans la capitale. Coiffée d'un chapeau de paille, d'énormes lunettes fumées sur le nez, elle resplendirait, feu fou, et je la prendrais en levrette, comme dans la grange, jadis. Et mon cœur flancherait sans crier gare, au milieu de l'orgasme. Je m'agripperais une dernière fois aux seins de ma concubine de l'enfer, lui mordrais l'épaule, chercherais convulsivement ses lèvres pour lui offrir un baiser d'adieu avant de m'effondrer sur elle. Les poumons comprimés par deux cents livres d'amour, incapable d'émettre le moindre cri, elle suffoquerait plusieurs minutes, agitant désespérément bras et jambes, avant de rendre l'âme sur ce rivage à l'écart de toute civilisation.

On cuirait là jusqu'à la tombée de la nuit, et la marée montante aurait raison de notre inertie, nous entraînant bientôt, centimètre par centimètre, loin, très loin de la vie, et on dériverait ainsi au cœur de l'orage, vers les remous féroces où les épaves capitulent.

# Requiem

Allons, Maurice, ça suffit. Sois raisonnable. Cesse de me tirer la manche pour que je raconte la fin de ton histoire, il n'y a plus rien à raconter, tu le sais. Bon. Peut-être que... Si tu insistes. Tu ne me lâcheras pas, hein? Mais si je te laisse encore parasiter mes fictions, il faut me promettre qu'ensuite tu te tairas. Que tu consentiras à mourir une deuxième fois, sans rechigner. Entendu?

Par où commencer? Par la fin. Tu es mort sans laisser de testament, de dernières volontés. De toute façon, de la volonté, tu n'en avais guère eu, de ton vivant. D'accord, il faut te rendre justice, tu as réussi à occuper le même emploi assez longtemps pour qu'une banque accepte de t'octroyer un prêt. Tu as pu acheter une parcelle de terrain et y planter une bicoque. Ton rêve d'ermite, qui a tourné au vinaigre quand tu as perdu ton travail et n'as plus été capable de payer ton hypothèque. Tout a été saisi. D'appartements miteux en chambres froides et trop étroites, tu as traîné ta carcasse dans d'innombrables déménagements, et chaque nouveau départ te confirmait que tu ne trouverais ta place nulle part en ce monde.

Ton dernier logement respirait la misère. Une pièce sans fenêtre derrière un magasin de meubles. Papa et moi, on a dû s'y rendre après ton décès afin de recueillir quelques papiers personnels. Pour que d'obscurs bureaucrates puissent clore ton dossier. Pour que tu puisses mourir *officiellement*. Le propriétaire nous a réclamé le loyer des deux mois que tu as passés à l'hôpital. Dégueulasse. Le ton a vite monté. J'ai vu sur la tempe de papa une veine palpiter, cette veine qui grossissait avant que son poing ne parte. Il aurait pu l'étaler sur l'asphalte d'une simple mornifle, ce vieux vautour tout en os. J'anticipais la catastrophe. Heureusement, le type a réussi à calmer l'atmosphère et nous a menés derrière l'entrepôt. «Toutes ses affaires sont là. J'ai récupéré ses meubles. Le reste vaut pas un clou...»

Derrière l'entrepôt: un dépotoir. Un bric-à-brac de choses sales, rouillées. Tes effets personnels traînaient là, pêle-mêle, parmi les déchets, les copeaux de bois, la ferraille. Dans la boue, ton matelas défraîchi, des vêtements. Éparpillée dans ce fouillis, ta collection de cannettes de bière. Une Vierge en plâtre, amputée d'un bras, un peu sinistre, fixait le ciel gris de ses yeux vides. Sortant d'un sac à ordures éventré par quelque bête, de la paperasse : factures en souffrance, extrait de naissance, lettres du gouvernement... Ce que papa cherchait. Mais il n'a pas été capable de prendre ce sac et de partir comme ça, simplement. Le cafard nous est tombé dessus. Ce tas de cochonneries représentait à peu près tout ce que tu avais ramassé en une vie. Quarante-neuf ans et rien au bout. Triste bilan. Pour se consoler l'un l'autre, on cherchait les mots, mais ils manquaient à l'appel. Il n'y avait rien à ajouter.

On n'a pas cru nécessaire de rendre des comptes à une société à laquelle tu n'avais jamais eu l'impression d'appartenir. Donc, pas d'exposition du corps ni de service funéraire. D'ailleurs, qui s'y serait présenté ? Les fermiers qui te faisaient travailler jour et nuit sous la pluie, qui te considéraient surtout comme de la main-d'œuvre bon marché ? Denis, ce parasite que tu avais hébergé pendant six mois, que tu avais nourri et qui t'avait volé de l'argent avant de filer en douce ? Les barmans des trous où tu flambais tes payes, qui te foutaient dehors à coups de pied dans le cul à trois heures du matin? Les rares femmes qui avaient daigné suivre ta route avant de s'apercevoir qu'elle menait dans un cul-de-sac? Les putes à qui tu donnais des pourboires et qui ne te remerciaient pas, considérant cette somme comme un simple dédommagement, une prime de dégoût, en quelque sorte? Ta famille? Tes frères et sœurs? On n'aurait pas pu compter sur leur présence à ton enterrement. Ils t'avaient abandonné à l'hôpital. Si on avait jeté ton cadavre dans une décharge publique, ils ne s'en seraient pas souciés. Maurice… une branche pourrie depuis longtemps tombée de l'arbre généalogique.

Pas de violons. Pas de raffinement superflu pour disposer de ta carcasse : l'incinération s'imposait. Ensuite, on t'a fait les adieux qui te convenaient. La nuit commençait à tomber. On est descendus sur la grève. Le fleuve léchait les galets, gagnait du terrain. On a étendu une couverture sur le sol. Puis on a ramassé du bois, allumé un feu. Papa t'a salué une dernière fois avant de lancer tes cendres dans le vent. Le nuage de poussière s'est dispersé. Et on a bu, en silence.

Sans rien ajouter.

## On existera, c'est tout

Toujours pénible de venir voir quelqu'un qu'on aime ici. Mais j'arrive, chérie. Patience. Je dois faire la file devant le poste d'information. Et attendre. C'est long. Mais je me console car, ici, on est tous sur un pied d'égalité : on attend. Et pas seulement dans de grandes salles prévues à cette fin, remplies de chaises qui vous massacrent le dos, d'enfants braillards et d'odeurs douteuses. Non. On poireaute dans des bureaux, on végète dans des corridors, on prend racine dans des lits. On attend, on attend… Une visite, un résultat, une opération, la mort. Et toi, tu m'attends.

Le préposé aux renseignements, un type aussi joyeux qu'une porte de bunker, m'indique la direction de l'aile psychiatrique, sans même me regarder.

Je traverse le hall d'entrée, tourne à gauche.

Le couloir semble s'étirer à perte de vue. Le long du mur, sous la clarté crue des néons, quelques vieillards puant l'incontinence faisandent dans des lits sur roulettes. Ils font plutôt pitié, parqués là – l'un d'eux ressemble à ton grand-père. Oui, ils font pitié, mais est-ce que je peux les aider ? Pas vraiment. Je poursuis mon chemin, hâtant le pas ; j'ai pourtant l'impression de faire du surplace, comme dans ces cauchemars où l'on s'essouffle en vain pour échapper à une menace invisible.

J'atteins enfin le bout du couloir, appuie sur le bouton d'appel. L'ascenseur ouvre ses mâchoires, m'avale et me recrache trois étages plus haut. Pour me rendre à toi, il me faut franchir des portes qui claquent comme des grilles de prison, sonner, frapper et attendre qu'un infirmier vienne m'ouvrir et me laisse entrer dans le « centre d'observation ».

On se saute dessus et on s'embrasse à pleine bouche, savourant l'instant, sans gêne, devant les gardes-malades et les fous – qui semblent tous curieusement normaux. Alors, tu me la montres, ta chambre ? Quoi ? C'est ce cube minuscule ? Une cellule, oui ! On étouffe là-dedans. Et les murs vieux-orange ! Une teinte dégueulasse ! Et la fenêtre, qui donne sur un terrain de jeux… « Tout va bien, ça va bien aller… » Bon, d'accord, je me tais. Puisque c'est souvent dans le silence qu'on exprime l'essentiel et que le corps trouve ses mots. Viens ici. Tu sais, tout de suite, là, je déchirerais cette jaquette bleu pâle et te prendrais, sans flafla, sur la table vissée au plancher. Tu chuchoterais : « Non, pas ici ! » en me repoussant, mais tes yeux crieraient le contraire. Je comprends bien que ce n'est pas le lieu idéal pour se livrer à de telles folies. La porte ne verrouille même pas… N'aie pas peur. Viens te blottir contre mon épaule. Chut. Tout va bien. Tout est comme avant, tu vois. Enfin. Presque.

*  *  *

Les belles minutes fondent trop vite, comme une première neige en octobre. Une infirmière vient nous avertir que la visite est terminée. Le genre de mégère frigide qui ne jouit qu'en gâchant le plaisir des autres. « Il faut partir, monsieur. Vous connaissez le règlement. » Inutile de discuter : une souche a plus d'émotions que cette femme-là. Je sens une crispation dans ton corps, on s'enlace sans pouvoir relâcher notre étreinte, ils doivent nous séparer de force. À contrecœur, je rebrousse chemin, non sans jeter un dernier regard par-dessus mon épaule. Une larme scintille au coin de ton œil fatigué.

Te connaissant, j'imagine la suite : ta révolte, ils l'appellent une crise. Te maîtriser est toute une épreuve. Sans réfléchir, toujours aussi prompte, tu lances le poing comme une bombe dans les airs : le type en sarrau saigne du nez. Il appelle deux colosses en renfort. Ils t'emportent, te sanglent sur ton lit, t'injectent une solide dose de tranquillisants. Tu ne feras pas de cauchemars. Ça non. Tu ne rêveras même pas. Ton sommeil sera opaque.

\* \* \*

À l'autre bout de la ville, notre appartement paraît grand, trop grand pour ma solitude. Je viens d'écraser la dernière cigarette dans un cendrier comble, plus un millimètre de peau à ronger autour des ongles : aucun moyen d'empêcher l'anxiété de me bouffer les tripes. Étendu sur le carrelage de la cuisine, je pleure sans bruit, les larmes glissent dans mes oreilles pendant que je tourne et pétris un million de fois l'idée de la folie dans ma tête, jusqu'à l'épuisement. Jusqu'à devenir fou moi-même.

Après une visite au musée, tu te souviens ? on jalousait l'impassibilité des statues, rêvant d'être transformés en l'une d'elles, tous les deux figés dans un dernier baiser. Parce que les statues existent, c'est tout, elles n'ont rien à justifier. Au milieu de certains parcs publics, on en voit que rien ne trouble : elles endurent sans broncher les cailloux, les insultes, les intempéries et les crottes d'oiseaux. Nous, c'est bien simple, quand les fientes de la vie nous tombent dessus, on perd les pédales : il faut agir, vite, alors on pose des gestes absurdes. Le film du jour nous déplaît ? Au lieu de sortir de la salle bien gentiment, on fonce dans l'écran, tête baissée, sans penser que derrière la toile se dresse un mur. Plus d'une fois on s'est cassé la gueule pour ensuite se relever, un peu sonnés mais jamais plus sages. Aujourd'hui, le film à l'affiche, c'est le navet du siècle : regarde-moi bien crever l'écran une fois pour toutes.

Je me précipiterai dans une pharmacie pour gober toutes les pilules qui me tomberont sous la main. Flambant nu dans un centre commercial, je m'époumonerai comme un grand singe, ferai claquer le string des jeunesses en mal d'amour, bousculerai les agents de sécurité. Ou mieux : j'entrerai par effraction dans le parlement pour pisser dans le hall et brûler les tapis rouges. Quand les flics rappliqueront, je les mordrai jusqu'au sang. Dépassés, arrivant à peine à maîtriser le chaos qui m'agite, ils appelleront les ambulanciers.

Je ferai une entrée spectaculaire, par la porte

de l'urgence! Sur une civière, bien attaché, couvert de bleus et rouge de rage. Ils me mettront en isolement dans une pièce molletonnée et glaciale, où une saloperie de caméra me fixera de son gros œil de grenouille. J'aurai peut-être même droit à une camisole spéciale. Quand je me calmerai, ils me permettront de sortir de ma cage. Ils m'examineront, me feront subir un interrogatoire, me feront signer des formulaires. Je me retiendrai pour ne pas leur rire au nez.

Ensuite : les belles retrouvailles ! Une fête en douce juste pour nous deux. Pour inventer de nouvelles couleurs, on regardera la neige dans la télévision de la salle commune. On bâtira des châteaux de cartes pour le seul plaisir de souffler dessus. On redécouvrira le vrai sens du mot *ensemble*.

Après nous avoir bien tamisé le bulbe dans leurs grilles d'analyse, ils nous colleront une ou deux étiquettes sur le front. C'est leur travail, après tout. Mais on ne les laissera pas s'en tirer comme ça, on se faufilera entre les diagnostics. Parce que, tu sais quoi? On n'aura jamais été malades ailleurs que dans leurs têtes.

Tu te souviens comme on aimait se déguiser quand on était enfants? Dans le coffre du grenier dormaient des centaines de costumes et, avec eux, on changeait de personnage chaque jour. On descendait dans la rue en frappant sur des casseroles : l'histoire se répétera, on dérangera tout le voisinage. Les espions nous surveilleront, bien entendu : pour déjouer leurs manigances, il faudra les espionner aussi, les prendre à leur propre jeu. Lorsqu'on foutra trop la merde, qu'on aura trop volé au-dessus du nid de coucou, qu'on les aura fait douter de leur propre santé mentale, ils choisiront la solution facile pour ne plus nous avoir dans les pattes : nous administrer des drogues fortes, gratuites et légales, par intraveineuse, s'il vous plaît. Temporairement délivrés de l'obligation de réfléchir, on n'attendra rien de rien. On existera, c'est tout.

C'est déjà bien assez.

*   *   *

Mais il y a fort à parier que ça ne se passera pas de cette façon-là. J'irai te rendre visite chaque jour, tu suivras une thérapie, avec succès ; tu sortiras de là. On se raisonnera. On se résignera, comme nos parents qui ont lâché le LSD pour retomber sur le plancher des vaches. Sans parachute. Le choc est dur sur les rotules, attention. On terminera nos études. Ce ne sera pas facile, au début, de s'y remettre, avec nos neurones malmenés. Mais un peu de bonne volonté et on aura des diplômes à encadrer. Oh oui! On finira par faire des gros sous. Chaque matin, je m'étranglerai avec ma cravate, gravirai les échelons hiérarchiques d'une compagnie d'assurances. Toi, tu iras certainement à l'université, en cinéma. Pour devenir réalisatrice. D'accord, tu pondras des films d'auteur trop profonds pour le Québécois moyen, mais tu seras souvent invitée à des festivals étrangers, compensation pour toutes ces heures passées à remplir des demandes de subvention, à auditionner des acteurs qui ne pourraient pas même jouer le rôle d'une patate.

Dans nos moments libres, on s'adonnera à l'observation d'oiseaux et le dimanche, on jouera aux quilles : malgré tous mes efforts et plusieurs années de pratique, je resterai le champion des dalots. Ma nullité te fera tellement rire que je ferai même exprès pour être poche.

Tu collectionneras les sous-verres. Moi, je ramasserai des capsules de bière pour payer un fauteuil roulant à un handicapé. Pour les besoins de la cause, j'en calerai une de plus par-ci par-là, et ma bedaine gonflera d'année en année.

*   *   *

Puis, un de ces quatre, on se retrouvera tous les deux sur la galerie d'une maison ancestrale qu'on aura rénovée nous-mêmes et dont l'hypothèque sera enfin remboursée. Une maison grande et silencieuse. Sans enfants ni petits-enfants. Longtemps on aura cru qu'on allait fonder une famille. Deux fausses couches et un tas de nuits blanches nous auront finalement convaincus du contraire. On ne s'aimera plus vraiment, on ne se détestera pas non plus. On n'en parlera pas. À vrai dire, on ne parlera plus de grand-chose. Comme deux vieux amis qui savent déchiffrer leurs silences. Tu auras eu des amants, je le saurai et ne t'en tiendrai pas rigueur, car j'aurai aussi cherché la chaleur dans d'autres bras.

Toi sur une chaise berçante, moi dans un fauteuil roulant, côte à côte et les yeux mi-clos, on regardera le soleil se crever le bide sur le clocher de l'église et se vider de son sang sur les toits de la ville. On laissera le crépuscule nous envelopper.

On n'attendra plus rien de rien.

On existera, c'est tout.

# Remerciements

Je remercie mes parents.

Un grand merci à Geneviève Khayat.

Toute ma reconnaissance à Martine Girard, qui a contribué à l'écriture de la nouvelle « Ça semblait un bon gars » et qui a accepté que j'inclue ce texte dans le recueil.

Merci également aux personnes suivantes : Mathieu Simoneau, Jérôme-Olivier Allard, Philippe Paré-Moreau, Lydia Lefrançois, Éric Lemieux, Mathieu Gingras, Julie Beaudoin-Grimard, Neil Bissoondath, Pierre-Marc Drouin, Chantal Montmorency.

L'équipe des Éditions du Boréal mérite toute ma gratitude.

Et merci à toi, tiens, si tu as lu tout ça jusqu'à la fin.

# Table des matières

CRÉDITS ET REMERCIEMENTS

Les Éditions du Boréal reconnaissent l'aide financière du gouvernement du Canada par l'entremise du Fonds du livre du Canada (FLC) pour leurs activités d'édition et remercient le Conseil des arts du Canada pour son soutien financier.

Les Éditions du Boréal sont inscrites au Programme d'aide aux entreprises du livre et de l'édition spécialisée de la SODEC et bénéficient du programme de crédit d'impôt pour l'édition de livres du gouvernement du Québec.

Couverture : Loui Jover, *Head Stories*

Ce livre a été imprimé sur du papier 100 % postconsommation,
traité sans chlore, certifié ÉcoLogo
et fabriqué dans une usine fonctionnant au biogaz.

MISE EN PAGES ET TYPOGRAPHIE :
LES ÉDITIONS DU BORÉAL

ACHEVÉ D'IMPRIMER EN JANVIER 2015
SUR LES PRESSES DE L'IMPRIMERIE GAUVIN
À GATINEAU (QUÉBEC).